L O C U S

LOCUS

RECREATION

R68
天使之血 （化學花園2）
The Chemical Garden Trilogy 2: Fever

作者：蘿倫・戴斯特法諾（Lauren Destefano）
譯者：謝雅文
責任編輯：翁淑靜
美術設計：江宜蔚
校對：陳錦輝
法律顧問：全理法律事務所董安丹律師
出版者：大塊文化出版股份有限公司
台北市10550南京東路四段25號11樓
www.locuspublishing.com

讀者服務專線：**0800-006689**
TEL：(02) 87123898　FAX：(02) 87123897
郵撥帳號：18955675　戶名：大塊文化出版股份有限公司

總經銷：大和書報圖書股份有限公司　地址：新北市新莊區五工五路2號
TEL：(02) 89902588　FAX：(02) 22901658
排版：洪素貞 製版：瑞豐實業股份有限公司
初版一刷：2015年12月

定價：新台幣280元
Printed in Taiwan

天使之血/ 蘿倫.戴斯特法諾(Lauren Destefano)著 ; 謝雅文譯.
-- 初版. -- 臺北市 : 大塊文化, 2015.12
面；　公分. -- (R ; 66)(化學花園 ; 2)
譯自 : Wither
ISBN 978-986-213-645-4(平裝)

874.57　104020267

化學花園第二集

天使之血

The Chemical Garden Trilogy 2

Fever

作者──蘿倫．戴斯特法諾 Lauren Destefano
譯者──謝雅文

卵形的蛋白石雲朵，
映出雷雨的一道彩虹，
在那遙遠的山谷，
早就設計好了——
幾乎將每個人都巧奪天工地囚困起來。

——《蘿莉塔》作者　弗拉基米爾・納博科夫（Vladimir Nabokov）之《幽冥之火》（Pale Fire）

第一章

我們拔腿狂奔，鞋裡進了水，冰冷的皮膚黏著海水的鹹味。

我放聲狂笑，蓋布利歐看我的眼神像是把我當瘋婆子，雖然我倆都喘不過氣，但我的聲音還是蓋過遠方的警笛聲：「我們辦到了。」海鷗在我們頭頂泰然自若地盤旋。夕陽融入地平線，綻放如殷紅血焰的霞光。我只回首一次，但直到看見人們把我們搭來逃脫的船拖回海濱才罷休。他們以為有乘客上岸，但最後只會找到一堆空包裝紙，那是我們偷吃船東藏匿的甜食所留下的。我們在抵達海濱前就棄船逃逸，在水中摸找到彼此，然後閉氣，匆匆游離騷動的人群。

我們的足跡從海水浮現，幽魂似地在沙灘漫步。人類在過去，在欣欣向榮的世界，曾是探險家，而如今我們死而復生。

我們來到岩石堆成的一座小崗，它在沙灘和城市間形成天然屏障。我們跌坐在它的陰影下。從我們蜷縮的地點，可以聽見人們互相高聲發號施令。

「我們接近海濱時，感應器肯定觸發了警報器。」我說。我早該知道偷船的事沒那麼容易。以前在老家設的陷阱太多了，我該猜到人們對資產的保護有多重視。

「萬一他們抓到我們會怎麼樣？」蓋布利歐問道。

「他們才不在乎我們呢。我敢說有人付了一大筆錢，確保那艘船能物歸原主。」我說。

爸媽曾跟我說過，有些人身穿制服，負責維持世界的秩序。這些故事教我難以置信。光憑幾件制服怎麼可能讓天下太平？如今只剩大戶人家為了找回失竊財物聘雇的私家偵探，不然就是在豪奢派對上看牢嬌妻的保全警衛。當然也少不了在大街小巷巡邏、販賣少女的採花賊。

我臉朝上往沙地一倒，蓋布利歐雙手握著我發抖的手。「妳流血了。」他說。

「你看，星星已經出來了。」我示意蓋布利歐看天空。

他仰望天際；落日餘暉照亮他的臉龐，使他的雙眸變得前所未見的明亮，只不過他還是愁容滿面。自幼在官邸長大，讓他總是心事重重。「沒事的，先陪我躺著看一會兒天空。」

我對他說，並把他往下拉到身旁。

「妳在流血。」他仍舊不肯退讓。他的下唇在顫抖。

「我死不了的。」

他舉起我的手，闔在他的雙手之中。鮮血如古怪的小河分支從我們的手腕涓流而下，我肯定是在爬上海濱時被岩石刮傷手掌的。我捲起衣袖，免得鮮血弄髒了狄德麗為我織的白色麻花毛線衣。紗線裡嵌了鑽石和珍珠，是我身為家庭主婦時最後的財富。

應該說，還要加上我的婚戒。

海面捎來一陣微風，我立刻察覺寒風和濕衣裳讓我冷到麻木。我們該找個棲身之處，但要上哪裡去呢？我坐直身子，好好掌握周遭環境。沙灘和岩石再往外延伸個好幾碼，但之後可見樓房的陰影。一輛貨車隆隆駛過遠方的馬路，天色大概很天就暗到採花賊可以關掉車燈、出動巡邏了。這是他們獵豔的最佳地點，因為看樣子那裡連一盞街燈也沒有，樓房之間的暗巷也可能充斥著來自紅燈區的女孩。

想當然耳，最掛慮我流血傷勢的人是蓋布利歐。他試著用一截海草為我包紮手掌，可是帶鹽的海草刺得我傷口發疼。我只需要一時半刻將這一切好好消化，之後再擔心割傷的手也不遲。昨天的此時此刻我還是總督的新娘，還有姊妹妻。等我走到生命的盡頭，屍體便會被擺在公公置於地下室裡的輪床上，和那些比我先走一步的媳婦團聚，任他宰割。

可是如今我聞到鹹味、聽見海浪聲。有隻寄居蟹正爬至沙丘。此外還有別的。我的哥哥羅恩也在這個世界的某處，什麼事都阻攔不了我回家和他相聚的決心。

原以為自由能振奮人心，它確實令我為之一振，但恐懼也油然而生。以眾多「萬一」組成的千軍萬馬正以穩健的步伐衝破我的美夢。

萬一他不在家呢？

萬一出了亂子呢？

萬一沃恩找到妳了？

萬一……

「那些是什麼燈啊？」蓋布利歐問我。我朝他指的方向望去，也瞧見一座點著燈光的巨輪在遠方慵懶地旋轉。

「我從沒見過這玩意兒。」我說。

「反正那裡一定有人。來吧。」

他拉我起身，使勁地拽了一下我流血的手，但我潑了他一桶冷水。「我們不能這樣隨隨便便走向光源，天曉得那裡有什麼？」

「那妳有什麼計畫？」他問道。

計畫？我的計畫只有脫逃。這個目標已達成。現在的計畫是找回兄長，這是我在短短數月沉悶的婚姻生活中過度浪漫的想法。羅恩幾乎成了我臆造的一個角色；一想到很快將要和他團圓，我便樂得暈陶陶。

原本以為我們至少會在白天把船開到陸地靠岸，無奈燃料用完了，夕陽餘暉也隨時要隱沒；這裡和別的地方一樣危機四伏，無論巨輪那樣旋轉看起來多令人毛骨悚然，起碼那裡還有光。「好吧，我們去一探究竟。」我說。

臨時的海草繃帶似乎已讓傷口止血。它包紮仔細到令人發笑的程度，沿途蓋布利歐還問我面帶微笑是為了哪樁。他渾身濕答答的、又覆滿沙土，一貫整潔的褐髮如今糾結紛亂。不過，他似乎仍試著理出頭緒，而這些行為倒也符合邏輯。「跟你說，不會有事的。」我對他說。

他捏捏我沒受傷的那隻手。

一月的疾風勁吹著，掀起沙塵，對著我濕透的髮絲咆哮。街上淨是垃圾，有東西在垃圾堆裡窸窣移動，唯一一盞街燈閃爍地亮了起來。蓋布利歐用胳臂圈著我，雖不知他想安慰的是我還是他自己，但早先降臨的恐懼又教我心裡七上八下。

萬一這條暗巷隆隆駛來一輛採花賊的灰色廂型車呢？

附近沒有住宅，只有一棟大概在半世紀前是消防局的磚樓，窗子不是破了就是釘上木板。還有其他好多碎裂的東西，只是光線太暗，我看不出所以然。但我敢發誓有東西在巷弄間移動。

「這裡看起來一片荒蕪。」蓋布利歐說。

「很可笑對吧？科學家信誓旦旦地說要把人類治好，可是當我們一個個開始凋零，他們卻任由我們和周遭的世界獨自腐爛。」我說。

蓋布利歐扮了個鬼臉，依我的解讀大抵是表示鄙視或憐憫。他的人生多半是在宅邸消磨，就算只是個供人使喚的僕役，至少生活一切有條不紊、乾淨又安全無虞。不過，前提是要避開地下室。這個崩壞的世界想必為他帶來不小衝擊。

遠處的巨輪被奇異的樂聲圍繞，不僅空洞，還廉價花俏地包裝成歡樂的氣氛。當我們來到將光影樂聲包圍起來的鐵網籬笆前，蓋布利歐說：「也許我們應該回去。」我可以看見籬笆後方有幾頂由燭光照亮的帳篷。

「回去哪裡？」我反問他。我的身體劇烈發抖著，話幾乎講不出口。

蓋布利歐張嘴準備說話，但話語消失在我的尖叫聲中，因為有人抓住我的胳臂，將我往籬笆的開口拽。

我腦中唯一的念頭是：*別又來了，別像這樣*。然後傷口又開始滲血，拳頭也因剛才揍了某人而發疼。蓋布利歐把仍在拳打腳踢的我拉走，我倆試圖逃跑，無奈寡不敵眾。帳篷裡跑出更多人影，緊抓我們的胳臂、腰、腿，甚至還對我施展鎖喉功。我可以感覺誰的皮膚被我指甲掐得突起，不知又是誰的頭蓋骨往我腦袋一撞，我頓時感到天昏地暗；即便如此，還是有不知哪來的力量驅使我奮力自我防衛、死命掙扎。蓋布利歐在吶喊我的名字、叫我奮戰到底，但這無濟於事。我們被拖往那旋轉的巨輪，有個老太婆在那裡狂笑，而音樂永不休止。

第二章

骨頭與皮肉的相擊聲，令人作嘔。蓋布利歐出拳快狠準，一個男人被他打飛，往後跌落在爛泥地上；但接著更多人馬從四面八方蜂擁而至，有的緊抓他的胳臂，有的用膝蓋朝他猛撞。

「你們老闆是誰？是誰派你們來暗中監視我的？」老太婆嗓音冷靜。她的口中和她手裡拿的棍子冒出如巨浪翻騰的濃煙。她是第一代，身材矮胖結實，白髮盤成一個圓髻，外頭再裹幾圈俗麗的紅寶石和綠寶石仿冒品。過大的珍珠垂在女人雞皮般的脖子上；鏽蝕且剝落的銀製手鐲溜到她的前臂；紅寶石戒指有雞蛋那麼大。蘿絲長年從我們的丈夫林登那裡得到無以計數的小首飾和寶石，要是她見著這廉價的假珠寶，肯定會笑得前仰後合。

男人們撐起蓋布利歐的雙臂，將他高舉；他則在承受另一男人毒打時努力站穩腳步。其實應該稱那人為男孩；他頂多跟西西莉同年。

「沒人派我們來。」蓋布利歐說。從他的眼神看來，三魂七魄都快嚇飛了。暴徒襲擊之下，就屬他傷得最重，我擔心他可能會腦震盪。他又吃了一拳，這拳打在他的肋骨上，他腿一軟，跪倒在地。我擔心得胃不停翻攪。

其中一個男人鎖住我的喉頭，另外兩個架著我的胳臂，他們三個塊頭都比我小。很難將他們視為孩童，雖然他們確實只是黃毛小子。

蓋布利歐兩眼閉上又猛然一張；他呼吸不順，驚愕地猛喘氣。此刻，我只能聽見自己的心跳聲；我多想向他奔去，但唯一搆得著他的只有我洩氣的嗚咽聲。這全是我的錯，我應該有能力保護他才對，畢竟這是我的世界。我是該想好計畫的。我忿恨不平地咕噥幾聲，然後厲聲回嗆：「他說的是實話，我們又不是間諜。」誰要監視這個鬼地方啊？

骯髒的女孩如蟲子般眨著眼，從彩虹條紋帳篷的狹縫向外窺視。我這才恍然大悟，這裡想必是紅燈區；被採花賊抓走但總督看不上眼、沒人要的，或單純無處可去的女孩所組成的淫窟。

「妳閉嘴。」其中一個男人或者男孩，對著我的耳朵喝斥。老太婆咯咯笑著，嘩啦嘩啦響的寶石贗品，宛如盤據在手指上的巨大玻璃昆蟲和遍布在手腕上有傳染性的暗瘡。

「把她帶到亮處。」老太婆說。他們把我拖進彩虹條紋的帳篷，抬頭只見天花板上掛著東搖西晃的提燈，剛才偷窺的蟲眼女孩們一哄而散。老太婆抓住我下巴、把我腦袋一歪好仔細打量。接著，她朝我臉頰吐了口唾沫再把它塗開，清掉我臉上部分的血漬和沙粒。她恐怖的黑眼珠頓時欣喜地亮了起來，她說：「金花。好，以後就這麼叫妳。」她口中吐出的煙熏得我淚眼汪汪。我真想吐口水回敬她。

帳篷裡的女孩發起牢騷，其中一人抬起頭來。「姨娘。」她說。她的雙眸呆滯朦朧。「太陽下山了，時候到了。」

老太婆反手賞了她一耳光，一面端詳自己戴著珠寶的手指，一面用同樣冷靜的語氣說：「怎麼做事是我教妳。輪不到妳提醒我。」

女孩退回同伴之中，隱沒身形。

蓋布利歐吐了一口鮮血。男孩們拉他起身。

「把她帶進紅帳篷。」老太婆說。就算我倒在地上裝死、拒絕移動雙腳，也還是徒勞無功；兩個男孩不費吹灰之力就把我拖走了。

我在心裡暗忖：完了。*蓋布利歐活不成了，而這個老太婆打算把我推入火坑。*我只能假設彩虹帳篷裡的女孩是幹這一行的。我們大費周章地逃亡、再加上珍娜千辛萬苦地幫忙，怎知自由的滋味竟然嘗不到二十四小時，就踏進另一個刀山火海。

懸在低矮天花板的提燈點亮了紅帳篷。我的頭撞到其中一盞提燈，男孩們一鬆手，我便跌落在冰冷的土地上。「哪裡都不准去。」其中一個約莫比我矮上一呎的男孩說。他掀開被蛀蟲啃食的外套，亮出插在腰際的一把手槍。其他男孩大笑幾聲揚長而去。我可以看見他們的身影在拉上了拉鍊的門外成形，也聽見他們輕蔑的笑聲。

我掃視帳篷，尋找另一個我能鑽出的洞，無奈帳篷釘死在地上，每處邊角又幾乎堆滿家具。五斗櫃色澤光亮又古色古香，旅行皮箱的抽屜繪有齜牙咧嘴的惡龍、櫻花、露台和憂鬱凝視水中的黑髮女郎。

古董來自已不復在的東方國度。蘿絲肯定會喜歡這些玩意兒。她會訴說黑髮女郎黯然神傷的箇中緣故，還會在朵朵櫻花間繪出一條幽徑，帶她前往一心嚮往之處。我彷彿一度看見她在那個無窮的天地間盡情揮灑。

「那麼，好吧，讓我瞧瞧妳。」老太婆神出鬼沒，把我拉往兩邊擺了椅子的桌子，逼我往其中一張椅子坐下。

老太婆皺巴巴的手指夾了根長長的香菸，冒出緞帶般的白煙。她把菸拿到唇邊一哈，再次開口，煙從嘴和鼻孔捲繞而出。「妳不是本地人。否則我早就注意到妳了。」她那搭配寶石來化妝的雙眼如今與我四目相交。我不得不別過目光。

「妳的眼睛……妳是不是畸型？」她湊到我面前說。

「不是。我們也不是間諜。我一直想跟妳解釋，我們只是走錯路。」我逼著自己強忍怒氣，畢竟外頭有個男孩攜槍，蓋布利歐又仍在這女人的擺布之下。

「金花，這整塊地都是一條錯路。不過，今晚算妳走運。如果妳想找高級一點的地方做生意……」她戲劇性地輕彈手指，任菸灰飛揚。「只怕方圓百里都找不著。我會好好照顧妳的。」

我開始反胃。選擇不發一語是因為只要一張口，我一定會吐得這張美麗的古董桌難以收拾。

「我是索蘭絲琪夫人，不過妳可以喊我姨娘。讓我瞧瞧那隻手。」她伸手抓我手腕，然後啪嗒一下把我流血的左手往桌面摔。海草繃帶雖沒鬆開，卻因我握著拳頭而起了褶子，此外又浸了鮮血。

她把我的手往提燈那頭伸，見著我的婚戒時，不禁倒抽一口氣。她這輩子八成沒見過貨真價實的珠寶吧。她把香菸擱在桌緣，再用雙手捧著我的手，仔細端詳蝕鏤在我婚戒上的藤蔓，還有林登想我時，會引用在建築設計圖上的花團錦簇。他說這些花是虛構的。世上沒有這種花。

我又緊握拳頭，擔心她想搶走我的戒指。就算這樁婚姻是個騙局，這個小玩意兒仍屬於我。

索蘭絲琪夫人又打量、欣賞了好一會兒才鬆開我的手。她在其中一個抽屜東翻西找，帶回一塊看似用過的紗布和一瓶清澈的液體。她解開海草，拿液體往我的傷口倒；它啵啵起泡、嘶嘶作響，灼燒我的皮膚。她盯著我，看我有何反應，但我一聲也不會吭。接著她熟練地拿紗布包紮我的手掌。

「妳打傷了我的一個小伙子，明天他的眼圈要瘀青了。」她說。

揍得還不夠慘，這場仗我還是輸了。

索蘭絲琪夫人撥弄我毛線衣的衣袖，我左抵右擋；不過她又用手指戳我裹著繃帶的傷口。我不願她碰我，碰我的婚戒或這件毛線衣。我想起狄德麗為我織它的靈巧小手；手上爬著淺藍色的靜脈，柔軟的肌膚是證明她青春的唯一跡象。那雙手能化洗澡水為神奇，也能把鑽石織進衣物。精緻細膩是她作品的正字標記。我憶起她狂野的淡褐色眼睛和她輕柔悅耳的嗓音。也想起我再也見不著她了。

「別動繃帶。」她邊說邊拾起香菸，抖落些許菸灰。「不然傷口感染，手都要廢了，豈不糟蹋妳那纖纖玉手。」

雖不見在帳篷外站崗的男孩輪廓，他們的談話聲卻仍舊飄進篷內。那把槍比我跟哥哥鎮守地下室用的獵槍小得多，但倘若我能弄到手，自然會搞懂怎麼使用。問題是我能有多快？其他人身上說不定也攜帶武器。況且，我不能拋下蓋布利歐自己逃命。再怎麼說，他淪落至此都是我的錯。

「惜字如金是吧，金花？我喜歡。畢竟這不是門說話的生意。」

「我不是妳生意的一部分，」我說。

「不是嗎？」老太婆揚起她以色筆繪出的眉毛。「妳看起來像是逃離了某樁生意。我可以保護妳，這裡是我的地盤。」

保護我？真教人笑掉大牙。本姑娘現在肋骨發疼、額頭抽痛，證明了這裡不是避風港，而是鬼門關。我說：「我們有點迷路，但只要妳肯放人，我們立刻啟程。北卡羅來納還有家人在等我們呢。」

女人笑了幾聲，無精打采地吸了口菸，充血的雙眸始終緊盯我不放。

「有家人怎會此地無門還硬闖進來？來吧，讓我帶妳見識一下重頭戲。」她用熟練的口音唸最後那三個字。菸抽完了，她腳一踩將它捻熄，只見她穿的高跟鞋顯然尺寸太小。

她領我走出外頭，站崗的男孩見她經過立即停止說笑。其中一個伸腿想絆倒我，但我繞過去了。

「金花，這就是我的王國，我的曖慕嘉年華。妳一定不曉得什麼叫曖慕吧。」姨娘說。

「是愛。」我答道，並樂見她驚訝地揚起眉毛。外語已成一種失傳的技藝，但我和哥哥得天獨厚，有重視教育的父母。雖然從沒機會真正派上用場，雖然成不了語言學家或探險家，知識卻灌輸我們的心靈，讓白日夢也更活潑歡快。有時我們在家裡亂跑，假裝乘著滑翔傘在高空橫越阿留申群島，稍後在京都盛開的梅花下啜飲綠茶，入夜時瞇眼凝望繁星點點的夜空，假裝可以看見鄰近的星球。哥哥說：「看到金星了嗎？這是張女人的臉，她的頭髮著火了。」我們擠到打開的窗前，我答道：「對耶，看到了！火星上爬滿了蟲。」

姨娘環住我的雙肩緊抱一下。她身上淨是腐朽味和菸味。「啊，愛。世上失去的就是愛。再也找不到愛了，只剩愛的幻影。男人就是為了它找上我家姑娘，就是這麼回事。」

「為了什麼？愛還是幻影？」我說。

姨娘咯咯竊笑，又將我緊抱。這使我憶起那個凜冽的午後，我和沃恩在高爾夫球場漫步；他一現身，這世上的美好彷彿全都抹滅，好像有一條巨蟒纏繞我的胸口。追憶往事的同時，姨娘把我帶去她那旋轉的光圈。第一代和他們令人眼花繚亂的收藏怎會有如此魔力？我真恨自己這麼著迷。

「妳懂法文，但有個詞我賭妳一定沒聽過。」姨娘傲慢地說，接著熱切地瞪大雙眼，「嘉年華。」

這詞我認得。爸爸曾經試著向我和哥哥解釋何謂嘉年華。他說那是沒事可慶祝時的慶典。我懂了，但羅恩不明白，於是隔天我們起床時，驚見彩帶掛滿臥室，有塊附上叉子的蛋糕在梳妝台上迎接我們，旁邊還擺著蔓越莓汽泡水——那是我的最愛，但我們喝過的次數寥寥無幾，因為它實在難尋。那天我們沒上學。爸爸用鋼琴彈奏古怪的音樂，我們鎮日慶祝，唯一的主題大概是我們全都活著。

「嘉年華就是這麼回事，人們稱它為摩天輪。」姨娘說。

摩天輪。整片廢棄的遊樂荒地中唯一沒腐爛或鏽蝕的設施。

如今我近到足以一探究竟，我發現輪子上充滿座椅，有一小段台階通往最低點。斑駁的油漆寫著由此進入。

「我找到的時候，它還是壞的，但是我的傑拉德對電子零件一把罩。」姨娘繼續往下說。

我不發一語，只是歪著腦袋仰望在夜空襯托下旋轉的座椅。輪子轉動時發出鐵鏽的吱嘎呻吟，而我一度在那詭異的銅管樂聲中聽見笑語。

我的父母曾仰望摩天輪。他們屬於這個失落的世界。

其中一個男孩倚著環繞摩天輪的欄杆，他戒慎恐懼地打量我。「姨娘？」他叫道。

一陣帶有寒意的微風旋過我身旁，彌漫著陳舊的旋律、鐵鏽的味道，和姨娘玄祕的異國香水味。一排空座椅停在我站的台階前。「上去、上去。」姨娘一邊催促，一邊把手搭著我的背上往前推，她的手鐲哐啷作響。

「把它停下來。」她說。

我想不到法子可以止步不前。我爬上台階，腳底下的金屬片抖個不停，連我的雙腿也跟著顫動。我坐下時，座椅微晃一下。姨娘坐在我的身邊，把頭頂的桿子往下拉，好把我倆關在這個空間。我們開始動了，向前攀升、直入雲霄。一度教我喘不過氣。

地面離我愈來愈遠。帳篷宛若一顆顆明亮的小圓糖。在帳篷周圍移動的女孩只剩暗影。

我情不自禁，驚愕地屈身向前。這摩天輪比我冒著颶風攀爬的燈塔要高上五倍、十倍、十五倍。甚至比把我困住、當林登嬌妻囚徒的柵欄還高。

「這裡是世界的至高點，比間諜塔還高。」姨娘說。

我雖然從沒聽過什麼間諜塔，但是不信它們比曼哈頓的工廠和摩天大樓高，就連這個輪子也比不上。不過，它或許是姨娘世界裡的至高點。這我倒能相信。

當我們向星辰靠近，點點繁星近到伸手可及的同時，我竟開始思念我的孿生哥哥。他對這些異想天開的事總是嗤之以鼻。打從父母過世之後，比磚石灰泥不具體，或比女孩出賣靈魂、男人出錢換五分鐘肉體溫存的不祥暗巷更不可怕的事，他一律不信。但即使是我那實事求是到家的哥哥，只要感受這高度，見著這光亮，看到這清朗的夜空，也肯定會心神嚮往。

羅恩。如今就連他的名字也變得遙不可及。

「妳瞧、妳瞧。」姨娘熱切地指著。她的女孩穿著異國情調的襤褸衣衫，在底下漫無目的地兜圈子。其中一個在轉圈，裙子被空氣吹鼓了，笑聲如打嗝般迴響。有個男人抓住她蒼白的胳臂，把她拖進帳篷，她跌了一跤，胡亂揮動四肢，但仍狂笑不已。

「妳肯定沒見過比我旗下更標緻的姑娘。」姨娘說。但她錯了，我見過——珍娜，灰色眼眸總是閃閃動人，她的優雅無人能及，她會在長廊轉圈哼歌，老是埋首羅曼史小說。侍從們見著她無不羞赧地迴避目光，她的自信和靦腆笑容震懾人心。要是來這裡，女王非她莫屬。

「她們想過更好的生活。甘願離鄉背井，逃到這裡投靠我。我幫她們接生、治好鼻塞的毛病。我供她們溫飽、維持她們清潔、給她們好東西護髮。她們來這裡就為了要見我。」她咧嘴一笑。「或許妳也聽過我的名號。來這裡是要找我幫忙的吧。」她使勁握住我的左手，力道之大連我們的車廂都開始搖晃。我繃緊神經，心想：車廂要翻了，但結果沒有。我們不再攀升，因為已經到頂了。我探頭往旁邊看，沒下去的路，恐懼開始爬上心頭。這玩意是姨娘控制的。倘若先前我沒完全任她擺布，這時也難逃她的魔爪。

我逼自己靜下心來。我絕不容許自己驚慌，讓她稱心如意；這麼一來只會使她更加大權在握。我的心跳聲在耳裡怦怦巨響。

「這枚美麗的婚戒，不是跟妳一起來的小伙子給的，對吧。」這不是個問句。她試著把戒指從我手指取下，但我趕緊握拳、把手抽開。

「你們兩個像落水狗般地出現。」她說。她的笑聲好似支承我們車廂的鏽蝕齒輪。「但儘管處境狼狽，妳還是如珍珠般明豔閃耀，貨真價實的珍珠。」她盯著我的毛線衣。「而他卻像個卑賤的侍從。」

這我無法矢口否認。她設法為我過去幾個月的生活做了個精準的總結。

「金花，妳背著逼妳成婚的丈夫，跟侍從私奔是吧？丈夫對妳霸王硬上弓？還是他沒辦法滿足妳，所以妳只好偷偷和這個小伙子幽會。偷偷的，趁著夜深人靜，像一對野蠻人在妳那吊滿蠶絲洋裝的衣櫃裡暗通款曲。」

我臉頰發燙，但這和姊妹妻調侃我缺乏跟林登親熱經驗的困窘不同。這是病態的、侵犯隱私的、邪惡的。姨娘煙霧迷漫的臭味教我難以呼吸，齊天的高度也令我頭暈目眩。我閉上雙眼。

「不是這樣的。」我咬牙切齒地說。

姨娘邊說邊用胳臂摟住我的雙肩。我按捺抽噎聲，免得它脫口而出。「沒啥丟臉的，畢竟妳也是女人嘛。女人是柔弱嬌嫩的。像妳這樣的可人兒，丈夫在妳面前肯定變得禽獸不如，怪不得妳會給自己找個貼心的小伙子。這個比較貼心對吧？我從他的眼神看得出來。」

「他的眼神？」我火冒三丈，氣急敗壞地說。我睜開雙眼，盯著姨娘俗麗的寶石髮飾，這樣就不必望著她或地面。

「那是另一回事。」姨娘溫柔地從我臉上拂去髮絲。「那是在妳的手下把他打到半死不活之前吧？」我猛然避開，但她似乎並不介意。「我的手下知道怎麼保護姑娘。金花，這是個弱肉強食的世界，妳需要保護。」

她抓住我的下巴，指頭按著我的骨頭直到它發疼。她盯著我的雙瞳，以吟頌的語調說：「又或者，丈夫不希望妳的缺陷遺傳到他孩子身上。所以把妳跟垃圾一塊兒扔了。」

姨娘這個女人能言善道。但話說得愈多，準確度就愈低。其實探查我的心思，並非她想像中的易如反掌。她只是在刺探各種可能性，想藉此惹我動怒。即使我撒下瞞天大謊，她也不會知情。

「我不是畸形，我丈夫才是。」我說，凌駕於她的小小權力之上頓時令我暈陶陶。

這番話教姨娘興致盎然、喜上眉梢。她鬆開我的下巴，屈身湊到我面前。「是嗎？」「他在我面前雖然變得禽獸不如，但這無所謂。他辦起事來十次有九次都力不從心。就像妳說的，女人也有需求。」

姨娘微微躍起，車廂也跟著吱嘎作響地晃動。顯然年輕慾盛這個講法令她為之亢奮。我根本不用繼續撒謊，剩下的故事全靠她一人編造就行了。

「所以妳逼不得已，只好投入侍從的懷抱。」

「就像妳說的，在我的衣櫃。」

「在妳丈夫面前？」

「就在他隔壁房間。」

離經叛道的謊言隨她編吧。但真相，一如我的婚戒，只屬於我，她得不到。

女孩在幾百呎下的地面異口同聲地咯咯笑。她們全都先與男人共舞一會兒，然後隱身在帳篷之中。姨娘的手下三不五時會掀開帳篷的布簾偷窺。

「哦，金花，妳是一塊寶玉。」她雙手捧著我的臉，一邊說一邊親吻我的雙頰。「寶玉、寶玉、寶玉，名副其實的寶玉！妳跟我在一塊兒會有好多樂子。」

太好了。

轉瞬間我們往回倒轉。隨著我們愈加接近地面，樂聲也愈顯嘹亮，女孩的面容也愈顯哀愁。

第三章

蓋布利歐在帳篷裡的地上睡覺，瑟縮着身子緊貼帳篷內壁，近得彷彿帳篷的綠色都要染上他的皮膚。他身子底下有塊破爛的毛毯。他的襯衫則不知去向。

姨娘說她會想想該怎麼處置我，今晚我就暫時在這裡待著。這裡有一盆水、幾條毛巾，和看起來像是手工刻的肥皂。

我沾濕毛巾，輕擦蓋布利歐臉頰上的紅斑。明天它將成為眾多瘀傷的其中之一。他嘴裡嘀咕著什麼，吸了口氣。

「弄痛你了嗎？」我問他。

他搖搖頭，臉緊挨著地面。

「蓋布利歐？你醒一醒。」我輕聲呼喚。這回即使我幫他翻身、使他臉朝上，再往他臉上擰冷水，他也沒吭聲。「蓋布利歐，你看看我呀。」

他照辦了，他的瞳孔是整片藍海中受驚的兩顆小點，這可把我嚇壞了。「他們對你做了什麼？發生什麼事了？」我說。

「紫色女孩……」他咕噥著說，咂咂嘴又閉上眼。「她有個……什麼。」他胳臂動了一下像要指給我看，但後來又暈了過去，搖他身子也無濟於事。

「他會昏睡幾個小時。」有個女孩站在帳篷入口，雙臂捧著一條毛毯。「他好像很痛苦。我只是給他點什麼讓他舒服些。喏，剛洗好晾乾的。」她把毛毯遞給我。

她試圖幫我為他蓋毯子，但我將她的手揮開，破口大罵：「謝了，妳幫得夠多了。他這麼痛苦，一開始是誰害的？」

女孩就著水盆擰乾毛巾，若無其事地說：「你們兩個都不是本地人，姨娘對間諜疑神疑鬼，要是我沒讓他服用鎮痛劑，她肯定會派保鑣把他打到不省人事，我這是在幫他。」她講話的口氣不帶敵意，先是把濕毛巾遞給我，再保持禮貌的距離。

「什麼間諜？」我一邊問，一邊輕輕拂去蓋布利歐臉上和胳臂的沙土與血漬。無論那是什麼鎮痛劑，我都棄若敝屣。他是我在這個鬼地方僅剩的依靠，如今卻離我這麼遙遠。

「根本沒有間諜，那女人多半是胡說八道。吸食鴉片害她變得疑神疑鬼。」女孩說。

我們是闖進了一個什麼樣的龍潭虎穴？至少這個女孩不像其他人那麼可怕。在那濃妝豔抹之下，我可以看見她眼中的憐憫：綠色眼線中有兩顆染上角膜雲翳的陰鬱星星。她膚色微黑，一頭短髮繞成亮麗的小捲。而她，和這裡所有的人事物無異，身上捎來香甜的霉味，只要姨娘所及之物，無不散發這股氣息。

「他為什麼叫你『紫色女孩』？」我問道。

「我名叫紫羅蘭。」她邊說邊指向自己褪色洋裝上的淡紫色花朵，洋裝的肩帶不斷從她肩頭滑落。「還需要什麼再找我好嗎？我得回去工作了。」

她掀開帳篷的布簾，顯露外面的夜空，也讓冷空氣和笑語、男人迫不及待的咕噥和女孩的咯咯傻笑，以及持續不輟的銅管樂旋律盈滿帳篷。

我低語道，伸手拂掠蓋布利歐雙唇間的線條。「都是我不好，我會把我們弄出去的，我發誓。」

海鹽在我的頭髮裡結成硬殼，我覺得自己髒死了，恨不得爬進水盆洗盡一身污穢。但只要我把毛巾浸在水裡，保鏢一聽見水的潑濺聲就馬上從狹縫偷窺帳篷內的動靜。我猜隱私在紅燈區是項失傳的禮儀。於是我退而求其次，捲起衣袖和牛仔褲褲管，能洗多少是多少。有人為我擺了件蠶絲洋裝——顏色跟這頂帳篷一樣綠，側面有隻竄升的橙色龍——但我置之不理。

我窩在蓋布利歐身旁，用胳臂緊圈著他。肥皂使我聞起來帶有姨娘的詭異香氣，但他依舊渾身充滿海洋的氣息。我感覺他呼吸時皮膚在我手指下的動靜，他包覆肋骨的肌肉穩定持續地升降。我闔上眼，假裝他和平常一樣在睡覺，只要呼喚他的名字，他就會回到我身邊。

時間一點一滴流逝。女孩來來去去。我假寐的同時拉長耳朵聽她們竊竊私語。她們淨說些我聽不懂的行話：天使之血、新來的小黃、死掉的綠兒……。男人在遠處朝她們吼叫，於是她們離去，身上佩戴的珠寶如塑膠製的手銬腳鐐哐啷作響。

我感覺自己昏昏欲睡，試著驅趕睡意。可是前一秒保持清醒，下一秒在波光瀲灩的海上搖晃。前一秒蓋布利歐在我身邊，到了下一秒，卻換成林登一如往常用身子裹著我入睡。他在我的耳畔啜泣，嘴裡唸著亡妻的名字，我猛一睜眼，蓬鬆潔白的蓋被原來只是我的幻覺，硬泥地和薄毯子則是我落入凡塵後避之唯恐不及的轉變。蓋布利歐一度變得很怪。他淺褐色的頭髮和林登的黑鬈髮天差地別；他身子較為厚實，也沒那麼蒼白。我又試著將他喚醒。但他毫無反應。

我閉上眼，這回夢見了蛇。牠們不斷吐信的腦袋從土裡迸出，然後盤繞我的腳踝，想要脫掉我的鞋。

我猛一驚醒。紫羅蘭跪在我腳邊，輕輕脫掉我的襪子。「不是有意要嚇妳的。」她說。雖然感覺像過了幾小時，但從帳篷的狹縫望出去，外頭仍是深更半夜。

「妳在幹麼？」我嗓音沙啞。冷到我能看見自己呼出的氣。真不懂這些只穿薄紗洋裝的女孩怎麼沒被凍死。

「這些都濕透了。四肢要保暖才行，否則會得肺炎的。」

她說得沒錯。我現在凍僵了。她拿毛巾裹住我一雙赤裸的腳。我看她在小手提箱東翻西找。她的鬈髮亂了，洋裝也更皺了。這回她用黑色手帕包了一長列玩意兒，跪在蓋布利歐身邊。她用湯匙調配粉末和水，再拿打火機朝它點火直到藥劑冒泡，然後注入針筒。接著，她在蓋布利歐的上臂綁了一條布——我爸媽為實驗室歇斯底里的病患緊急施打鎮靜劑前也會這麼做。而就在那一刻，我將她推開。「不可以。」

「這是為了他好，讓他冷靜下來，你們就不會惹上麻煩。」她說。

我憶起之前在颶風天受傷後，我血管內流動的暖溫毒素，沃恩是怎麼威脅我，而我甚至連睜眼都使不上力。當時我是多麼無助、麻木、害怕。我寧可忍受負傷之痛，骨折也好、四肢扭傷也罷、皮膚縫針也行，就是不要麻醉癱瘓。

「我不管，妳什麼都不准給他。」我說。

她眉頭一皺。「那今晚可要難過了。」

我只能苦笑。「今晚已經夠難過了。」

紫羅蘭張嘴想再說些什麼，但帳篷入口傳來聲響，於是她轉頭回望。大概以為是哪個男人來了，她的眼神一度流露驚恐，不過後來她鬆了口氣。「妳明明知道不該出來見人的，想惹姨娘發飆是吧？」她說。

她在對一個剛爬進帳篷的孩子說話，她並非從守衛站崗的入口堂而皇之地進來，而是從地上的小洞鑽入。深色黏稠的頭髮遮蔽她的臉。她往光源移動，歪著腦袋看我，她的雙眸宛若大理石玻璃，顏色淡到連藍色都稱不上，和她黝黑的肌膚形成驚人對比。

紫羅蘭放下湯匙，把孩子推回她來的方向，對她說：「快閃遠一點，不然我倆都要倒大楣了。」

孩子走了，但臨走前不忘回推紫羅蘭一把，憤憤不平地用鼻孔呼氣。

蓋布利歐身子微動，我猛一回神。紫羅蘭咬著嘴唇，再次伸出針筒。我視若無睹。「蓋布利歐？」我的語調無比輕柔。我拂去他臉上的幾根髮絲，這才發覺他額頭有多濕冷。他臉上因高燒而泛起斑點，睫毛亂顫像是抬不起眼皮似的。

漆黑的戶外傳來某人痛苦或惱怒的號叫，還有姨娘尖聲喊道：「沒用的髒小孩！」

紫羅蘭即刻起身，但她把針筒留在地上給我。「他會想要的，他會需要的。」她邊說邊趕向門口。

「萊茵？」蓋布利歐氣若遊絲地說。在這個殘破嘉年華唯一知道我真名的就只有他。他在疾風中高聲呼喊，任沃恩虛假的世界在我們周圍鞭笞。他在官邸的四面牆內輕聲呢喃，屈身貼近我。趁破曉之前、我丈夫和姊妹妻熟睡之際，這樣喚我起床。總是帶著這樣的意圖，彷彿這事關重大，彷彿我的名字，如同我的每個部分，都是一項珍貴的祕密。

「對，我就在這裡。」我說。

他沒吭聲，大概又失去意識了。我感覺無依無靠，開始手足無措，害怕他又要潛入那個深不可及的暗處。但沒想到他深吸一口氣，睜開雙眼。他的瞳孔恢復正常，不再迷失在那片汪洋碧海。

他的牙齒在打顫，說起話來結巴又口齒不清：「這是什麼地方？」

不是哪裡，而是什麼地方。「這不重要。」我邊說邊用衣袖吸拭他臉上的汗水。「我會把我們弄出去的。」雖然同為迷途淪落人，面對外在世界還是我比較有經驗。我一定可以釐清頭緒。

他望著我許久，身子冷再加上第一針的副作用令他寒顫連連。然後他說了句：「守衛想要把妳帶走。」

「他們把我抓來了，把我們都抓來了。」我說。

看得出來他正與睡魔抗戰。他臉頰上有塊深色的瘀傷正在成形，嘴唇也開裂流血；他抖得好厲害，即使沒碰他也感覺得到。

我用毛毯把他裹得更緊，試著效法西西莉在寒夜像是作繭似地包住寶寶。這是她少數看起來腦袋清楚，知道自己在幹麼的時刻。「歇會兒吧，我哪裡也不去。」我低語道。

他凝視我，目光上下打量我的臉。我以為他要開口。我希望他會開口，哪怕只是數落我，說這都是我的錯，他早說過外面的世界有多危險。我不在乎。只要他留在我身邊就好。我想聽他的聲音。但他只是閉上眼，再次不省人事。

我設法在蓋布利歐身邊睡一會兒，為了把毯子全給他蓋，我只裹了條毛巾，所以直打哆嗦、時睡時醒。我夢見舒爽的床單和枕套；夢見發泡的黃金香檳，滑順下肚，暖人喉頭脾胃；夢見三級強風震搖邊角，揭露耀眼、美好世界背後的片段黑暗。

汩汩作嘔聲使我從睡夢中驚醒，起初我還以為回到林登首位亡妻蘿絲的臨終病榻。但我睜開眼，只見蓋布利歐在帳篷遠處角落彎著腰。嘔吐味其實不如使這裡永保朦朧的煙霧和香水那般難聞。

我的心怦怦直跳，嚴肅堅定地奔向他。來到他身邊後，我不只聞到，而且親眼目睹古銅色的鮮血從他肩胛骨間的裂口湧出；他肌肉一繃緊，皮膚就跟著撕裂。這場伏擊來得太快，我不記得混戰中有人拿任何刀械。

「蓋布利歐？」我輕碰他的肩膀，但鼓不起勇氣看他咳出的東西。他吐完之後，我遞了一條破布給他，他接了過去，頹然往後一倒。

問他「還好嗎」似乎很蠢，所以我試著好好端詳他的雙眸。他眼睛底下疊了好幾層由深至淺的紫暈。寒意逼得他呼出朵朵雲氣。

在提燈搖曳的光亮下，他自己的影子在靜止的身體後方婆娑起舞。

他說：「這是哪裡？」

「我們誤闖海岸線的紅燈區了。他們給你打了一針，好像叫天使之血來著。」

「那是鎮靜劑。」他說。他講起話來含糊不清，往回爬要找毛毯，但臉朝下，身子一癱。

「沃恩戶長有庫存。以前在各醫院販售，但吃了會產生副作用，後來就停售了。」

我幫他翻身，讓他側躺，並抽出毛毯蓋在他身上。他直打寒顫。「副作用？」我問他。

「產生幻覺，作惡夢。」

我憶起颶風過後，在我血管內蔓延的那股暖流，憶起無法動彈的情景，沃恩讓我保持清醒的時間短得可憐，充其量只是要我聽他出言威嚇。雖然我沒有印象，林登卻說我作夢時咕噥著亂七八糟的話。

「需不需要我做些什麼？你渴不渴？」我邊問邊把毛毯往他肩膀周圍塞。

他伸手拉我，我任他將我摟到身旁。「我夢見妳溺水了，我們的船失火了，放眼望去又見不著海岸。」他說。

「不會的，我可是游泳健將呢。」我說。他龜裂流血的嘴唇貼著我的額頭。

「天很黑，我只能看見妳的頭髮一路往下沉。我隨妳潛入水中，後來卻發現自己追的是一隻水母，妳已不知去向。」他說。

「我一直在這裡啊，不知去向的人是你，我怎麼叫都叫不醒。」我說。

他把毛毯當翅膀似地舉起，把我跟他裹在裡面。毯子裡比我想像得還要溫暖，我馬上察覺他被麻醉時我有多想他。我閉上眼，深吸一口氣。但海水的氣息已從他身上消逝，如今他聞起來只剩血腥和姨娘的香水味，因為後者在每個水盆的白色肥皂薄膜中繚繞。

「別又離開我。」我輕聲呼喚。他沒吭聲。我在他懷裡換個姿勢，身子往後抽離，好注視他的面容，只見他閉著眼。「蓋布利歐？」我叫道。

「妳死了……」他昏昏欲睡地咕噥。「我親眼看著妳送命……」他嗓音隨著呵欠拉長，「親眼看見妳死得慘不忍睹……」

「你醒一醒。」我坐直身子對他說，又把毛毯抽開，希望突如其來的寒意能將他驚醒。

他睜開眼，但雙瞳如珍娜垂死時的眼眸那般光滑。「他們劃破妳的喉嚨，妳想尖叫，但早已沒了聲音。」他說。

「這不是真的。」我說。我怕得心怦怦跳，連血都涼了。「你精神錯亂了，聽我說，我就在這裡啊。」我拂掠他脹紅溫熱的脖子。我忘不了和他接吻的回憶，林登的地圖集夾在我倆之間；我忘不了他微弱的氣息暖呼呼地吐在我的舌頭、下巴和頸部，還有他抽離身子時，突如其來的那道風。那一瞬間，周圍的一切全都瓦解，我從未感到如此安全。

如今我擔心的是，我們再也無法平安度日了。雖然以前也未曾平安過。後來的夜晚實在難捱。蓋布利歐陷入喚不醒的沉睡，而我則努力保持清醒，持續提防在綠色帳篷外潛伏的危機。

入睡之後，我夢到煙霧繚繞，絞轉，交織成不知通往何處的條條小徑。

「起床！小情侶，迎接豔陽吧！起床！」有人喊道。

一條胳臂把我箍得好緊。我猛一回神。姨娘又在操假口音了，她的子音像是唇裡吐出的輕煙。

她背後的陽光令人眩目，宛如蜥蜴的七彩冠飾，灑滿她絲巾的輪廓，臉孔反而成了一片暗影。整座帳篷注滿綠色，鮮綠也映著我的肌膚。

蓋布利歐不知在夜裡什麼時候把我摟進毛毯，用胳臂圈著我的身體。他把臉埋進我的頭髮，我可以感覺到他濕冷的前額。我坐直身子，但絲毫沒有驚動他。他完全沒有恢復意識。針筒。先前紫羅蘭留下的針筒不見了。姨娘抓住我的手，拉我起來。她微笑著用單薄如紙的手捧起我的臉。「我的金花，在陽光下更顯嬌豔。」

我不是她的金花。不是她的任何東西。但她似乎已把我當作她的資產，她的古董，她的塑膠寶玉。

我只求蓋布利歐別又在意識不清下咕噥我的名字。我不希望讓姨娘知道，讓她在舌間翻騰吐露我的名字，跟她撫弄我婚戒上的小花一樣。

她噘起嘴。「不想穿我給妳的美麗洋裝啊？」洋裝如今垂在她的臂彎，猶如一具洩了氣的屍體，恰似華服的上一位主人毫無血氣的肉體。

「妳的毛線衣好美喲。怎麼忍心把它穿髒呢？」她哀戚地說。皺起的眉頭彷彿會隨時從她臉上融化。「小傢伙會幫妳清洗的。」她的口音變了。希變成基，會變成魏。繳傢伙魏幫妳清擠的。

她把洋裝塞給我，從肩頭解開一條毛披肩，圍在我的脖子上。「換裝，我會在外面等妳。今天是好天氣呢。」

我魏在外面等妳。

她走了之後，我馬上換裝，畢竟這大概是我離開這座帳篷的唯一途徑。我必須承認絲綢貼著肌膚好舒服，還有那條披肩，撇除令人窒息的霉味不講，它暖得讓我情願徜徉其中。或許只有穿上這些衣物，姨娘才肯讓我出帳篷，但是蓋布利歐怎麼辦？依舊不省人事的蓋布利歐。我跪在他身邊，輕撫他的前額，原以為他的額頭會發燙，沒想到摸起來冷冰冰的。

「我會把我們弄出去的。」同樣的話我再說一遍，無論他聽不聽得見，反正也不完全是說給他聽的。

姨娘掀開帳篷的布簾，然後「唉呀！」一聲，死命擰著我的手腕用力拽，讓我不禁想起手臂脫臼的經歷，哥哥必須啪地一聲把手給接回去。「不用擔心他啦。」她說。我的赤腳在地上拖行，我這時也發現自己並沒有努力跟上她的腳步。

離開帳篷時，有兩個小女孩和我們擦身而過，收拾我皺巴巴的衣物。她們垂著頭，抿緊嘴。我只驚鴻一瞥，但猜想她們應該是雙胞胎。我被拉進透著寒意的陽光下，天空是淡淡的糖果藍，彷彿我正仰望一層冰霜。姨娘對我的頭髮大驚小怪，畢竟它聞起來混著海鹽味和紅燈區的氣味。頭髮糾結，沉甸甸的；她表情冷淡，或許是不滿吧，我確信她一張口就要嫌我，沒想到她只是幽幽說了句：「別擔心那個男的。」她咧嘴一笑，我敢發誓我在她每顆過白的牙齒上都看見了我的輪廓。「等到他夠講理，懂得怎麼跟別人分享妳，自然就會醒來了。」

白天少了喧囂和摩天輪的霓虹光亮，我終於可以看清這裡有多荒蕪。幾塊狹長的土地徒剩泥巴，不然就是鐵鏽的機器拔地而起，好似植物從種籽發芽竄升。遠方還有一座遊樂設施，起初我以為是個小型摩天輪平擺著，但一走近就發現裡面有金屬馬被柱子刺穿，腿的姿勢像是被人施法凝結，來不及逃跑。姨娘發現我看得目不轉睛，便告訴我它叫作旋轉木馬。

馬兒的黑眼令我感到無限哀痛。我真想破除牠們身上的魔法，使腿部的肌肉重新活絡，帶牠們投奔自由。

姨娘帶我走向彩虹帳篷，那是所有帳篷中最高最大的一座，由四個男孩鎮守，他們的槍斜掛胸前，宛若半個X。姨娘領我進門，摸摸他們其中一人的頭，守衛們根本懶得看我。

她掀開帳篷布簾，捲進一陣強勁的涼風，像把裡面的女孩當風鈴似地吹動。她們有的咕噥，有的騷動。多數正在睡覺，不是互相貼著，就是疊在彼此身上。

女孩看上去都一個樣——彷彿我闖進了擺滿鏡子的房間——彎起骨瘦如柴的纖長四肢，相互依偎，抹著唇膏的嘴張開卻是一口爛牙。有些女孩的紅唇其實根本不是唇膏，而是鮮血。她們頭頂懸著熄滅的提燈。透進帳篷的日光把她們的身子照得橙呀、綠呀、紅的。

帳篷深處有個入口通往另一座帳篷，入口以絲巾遮掩，飄散病態的香甜和其他氣味，如腐朽與汗臭味。蘿絲垂死時，抹胭脂擦厚粉掩飾真實的素顏；但珍妮沒這麼做，她臨終的那幾天，由我照顧她。只見她蠟黃的皮膚變得瘀青，然後瘀傷滲入骨頭，開始潰爛。那種惡臭會在我夢中縈繞。我的姊妹妻全身由裡腐爛到外。

「我稱這裡為溫室。姑娘們睡一整天，到了晚上才能如雛菊般清新。這些懶女孩。」姨娘說。

幾個女孩特地看我一眼，慵懶地眨眨眼，又沉入夢鄉。

她說她依顏色為女孩命名，好方便追蹤。紫羅蘭是唯一以顏色和植物命名的女孩，因為姨娘最得力的保鏢傑拉德，最初是在菜園邊的紫羅蘭灌木叢找到她的，那時她已失去意識，倒臥花叢。「肚子都快炸開了。」姨娘半開玩笑地說，發出癲狂的笑聲。紫羅蘭進了馬戲團帳篷，在搖晃的提燈下生孩子，小紅和小藍們好奇圍觀。還有小綠們、翡翠和青瓷，只是她們後來都死於病毒。

「噁心又沒用的小丫頭。」姨娘咒罵的對象，是昨晚爬出暗影、雙眸異於常人的小女孩。「她出生那天，我一看見她皺縮的腿，就知道等她長到適合交易的年紀，我也賣不出個好價錢。可是叫她勞動也不行！她會把恩客嚇跑，還會咬人！」

窩在女孩堆的紫羅蘭眼睛都沒睜，就把女兒摟進懷裡。「她叫瑪蒂。」她嗓音含糊，咕噥著說。

「我還媽的咧。」姨娘邊說邊用鞋輕推孩子一下。瑪蒂斜仰著頭，惡狠狠地瞪她。她對這個老太婆齜牙咧嘴，充滿忿恨、挑釁。姨娘不肯罷休，繼續說道：「這丫頭還是個啞巴！

畸形兒！一看就教人討厭的丫頭！真該把她弄死。妳知道一百年前如果哪頭牲畜沒有用，人們就會為牠施打化學藥劑，讓牠長眠嗎？」

這麼多女孩擠在這麼小的空間，散發的氣味教我頭昏，姨娘的話同樣令我暈眩。其中一個女孩用手指纏捲頭髮，那綹髮絲就這樣落在她的掌心。

守衛在門口站崗，我發現他趁沒人注意的時候，伸手進口袋，掏出一顆草莓給瑪蒂。她把整個果實連莖都塞進嘴裡，這是她能貪婪享受的美味祕密。

簾子後頭的帳篷傳來聲音。可能是咳嗽，或是呻吟。反正我也沒興趣探究。姨娘不為所動，環繞我肩膀的胳臂摟得更緊了。我努力維持呼吸平穩，內心卻巴不得放聲嘶吼。我有滿腔怒火——或許跟我從採花賊的廂型車下車時一樣氣憤。聽見第一聲槍響時，我不發一語。那些沒人要的女孩被一一處決。我們一共有好多人，好多女孩。這個世界要的只是我們的子宮或身體，否則就全盤拒絕。我們被侵占、被蹂躪、被當成馬戲團帳篷裡垂死的牲口那樣堆疊，任我們倒在穢物和香水的氣味中，直到又有人要我們為止。

我逃離官邸，是因為渴望自由。但世上其實沒什麼叫自由的玩意兒。只有不同而且更可怕的奴役方式。

我萌生前所未有的感受。好氣爸媽把我跟哥哥帶來這世上。然後又拋下我們，讓我們自生自滅。

瑪蒂瞪著我的雙眼呆滯詭異。這是我第一次將她看個仔細。她是畸形兒沒錯。除了陰陽怪氣、近乎無色的淡藍雙眸之外，她有條皺縮的腿，左手臂也比右邊短，而且瘦得多；她的腳趾幾乎不存在，彷彿被什麼東西抑制，不讓它們從腳板冒出頭。但她的臉有稜有角，輪廓鮮明，表情無畏而憤怒。從這張臉就知道這女孩嘗過人情冷暖，知道這個世界恨她，也以恨意回報。

或許這就是為什麼她不說話。又何必說話呢？有什麼非說不可的？她凝視我，接著目光變得疏離、難以接觸；她彷彿潛入一池深水，而我只能望水興嘆。

姨娘咕噥著什麼不厚道的話，朝孩子的肩膀踹了一腳便領我出門。

這裡還有許多孩童，身體強健、五官正常。他們勞動，擦亮姨娘的假珠寶，就著金屬盆洗衣，快要倒塌的籬笆間繫了鐵絲，衣服洗完了他們就拿去晾。

「我的姑娘可會生了，就像長耳大野兔。」姨娘帶著惡意吐露最後一個詞。「然後她們撒手人寰，把爛攤子留給我清。但還能怎樣呢？起碼這些小孩都勤奮工作。」這些繳孩。

許久以前，金特立總統廢除節育的法令。他支持科學，一心認為遺傳學家會修復人類DNA的缺陷。在此同時，他認為延續人類族裔的使命人人有責。還是有醫生知道怎麼墮胎，只是他們開的天價，多數人根本付不起。

不曉得爸媽有沒有墮過胎。他們終其一生研究懷孕，一定知道該怎麼執行墮胎手術。

雖然理應嚴禁人工流產，但我從沒聽過有人因為違背總統的法令而受到責罰。我其實不太清楚這位總統有何豐功偉業。哥哥說總統制只是個無用的傳統，或許曾經有其功能，但如今徒剩形式——只是為了給人民希望，讓他們相信有朝一日世界終會重拾秩序。

我痛恨金特立總統，他掌權的時間比我活著的歲數還久。他共有九位嬌妻、十五個孩子——全是男孩，完全不信人類快要滅亡。他沒有採取任何行動阻止採花賊綁架新娘，反倒鼓勵沃恩那種瘋子培育嬰兒，讓他們終生淪為實驗品。他有時出現在電視上，宣傳新建的大樓或出席派對，笑容滿溢，拿香檳對著鏡頭祝酒，彷彿期待所有人與他舉杯同慶。又或許只是在嘲笑世人。

「他滿帥的。」有次我跟姊妹妻一起看電視，發現他的臉出現在廣告上，西西莉對他下了這個評語。珍娜說他長得像是狎童犯。當時我們一笑置之，但如今我來到紅燈區，也就是珍娜的老家，這才覺得她不是信口胡說。她在這種龍蛇混雜的地方討生活，一定見識過許多衣冠禽獸。

姨娘帶我到她的花園，那裡多半只是布滿野草和花蕾的土地，用低矮的鐵網圍著。不過草莓倒是在防風、防水布下生長。「妳該在春天的暖陽下瞧瞧果實，草莓、番茄和藍莓飽滿到會在妳的齒間榨出汁。」她輕浮地說。不曉得她是打哪裡弄來種籽的。城裡很難弄來種籽，人們種的蔬果似乎都承襲著城市灰暗的色調。

她帶我逛其他帳篷，裡面無不擺滿古色古香的家具，泥地上堆放著絲綢枕頭，她說她只給尋芳客最好的。到了最後一座全是粉紅色的帳篷，她面向我，用雙手從抓起我左右兩邊的頭髮，往外伸展，欣賞髮絲從指間滑落。一綹頭髮卡在她的其中一枚戒指，但它被從頭皮扯斷時，我毫無懼色。「妳這種姑娘當新娘太可惜了。」她把可惜說成可及。「妳這種姑娘應該有好幾十個愛人。」

她眼神迷惘。在剎那間將我看穿，無論神遊到了哪裡，都為她的目光帶回一絲人性。這是我頭一次在濃妝下看見她的真實雙眸，看見她褐色的、哀戚的眼睛。這畫面異常眼熟，但我很確定這輩子沒見過像她這樣的女人。以前在老家，我根本不敢往在窄巷築巢的紅燈戶偷瞄一眼。

我對那裡也從來不感興趣。

她的嘴唇噘成一抹微笑，而且是友善的微笑。她的唇膏龜裂，露出晦暗的粉紅原色。我倆站在一堆生鏽的破銅爛鐵旁，它們發出機械的嗡鳴，並放射微弱的黃光。我猜這是傑拉德的傑作之一。姨娘一片癡心地誇讚他的發明。「新玩意兒。」她是這麼稱呼的。「這將是土壤的暖氣機。我的傑拉德認為如此一來，農作物在冬天生長也不會那麼困難了。」她邊說邊輕拍其中一個生鏽零件。

「所以說，親愛的，妳覺得我的嘉年華怎麼樣啊？是不是南卡羅來納州最棒的？」她問我。

不可思議的是，姨娘講那麼多話，她的那根菸卻從沒從嘴角掉落。或許是我吸了太多她的二手煙吧，我開始對她敬畏有加。舉凡她走過之處，背景皆染上色彩。她的果園生長繁茂。光靠人去樓空的幽魂和一些破銅爛鐵的零件，她就能打造一座幻境。

她好像從來不用闔眼睡覺。旗下的姑娘正在小憩，因為現在是白天；而她的保鏢也輪班執勤。可是她總是在帳篷間穿梭、耕作、打扮、咆哮著發號施令。就連我昨夜的夢境都殘留她的味道。

「我從沒見過這種地方。」我向她坦承。倘若曼哈頓是現實，官邸是豪奢的幻影，那麼這個地方就是兩地之間崩壞的、模糊的分野。

「妳屬於這裡。不該結婚，不該跟侍從私奔。」她摟著我，領我穿過一片覆雪的枯萎野花。「愛人是武器，但真愛是傷口。妳的老相好啊，是個傷口。」她語氣平淡地說。

「我又沒說我愛他。」我說。

姨娘調皮地微笑，臉上綻滿皺紋。我這才驚覺第一代是怎麼變老的。他們很快就會與世長辭，留在世上的後代再也沒人知道老年人的模樣。人在二十六歲之後是什麼模樣，將永遠成謎。

接著她告訴我：「我有過很多愛人，但只有一個真愛。我們生了一個小孩。一個可愛的小娃兒，頭髮是各種不同程度的金黃色，跟妳一樣。」

「他們怎麼了？」我突然有了開口問她的勇氣。我一踏進她的領地，她就不斷刺探我；但如今，她終於暴露自己的弱點了。

「死了，被人謀殺。死了。」她的怪腔怪調又回來了。眼神中的人性瞬間消逝，轉為責難與冰冷。

她止步不前，幫我把頭髮塞到耳後，摸著我的下巴，端詳我的面孔。「這麼痛苦都得怪我自己，我不該那麼疼愛女兒的，畢竟這個世上什麼都活不長久。你們這些孩子像是飛蠅，又像玫瑰，繁衍了下一代卻朝生暮死。」

我張開嘴，但無言以對。她說的話雖然殘酷卻是事實。

我不禁揣想：哥哥是不是也這樣想我？我們一同降臨這個世界，只隔幾秒相繼誕生。可是我會早他一步離開。這都是命中註定。他小時候敢不敢想像我站著咯咯傻笑、從指間吹肥皂泡的地方，有朝一日會變成空位？

我死了之後，他會不會後悔愛我？後悔我們是雙胞胎？

也許他已經後悔了。

姨娘深吸口氣，菸嘴發紅。紫羅蘭說吸菸害她產生幻覺，我卻想知道姨娘說的話有幾分為真。「你們只該得到暫時的寵愛。幻影，這正是我提供恩客的，妳的老相好太貪心了。」她說。

蓋布利歐。我離開他身邊時，他乾燥的嘴唇正默默咕噥著什麼。我發現他下巴長出鬍渣；保鏢從他身上扯破的侍從制服也被重新穿好。他眼周皮膚泛紫，呼吸又不順，著實令我擔心。

「他太愛妳了，連在睡夢中也愛妳。」姨娘說。

我們穿過草莓園，姨娘對傑拉德的巧思讚不絕口，說他的地下裝置讓土壤溫熱，模擬春季使園裡的農作物生長。「最神奇的是，地面保溫，我的姑娘和恩客就不必受凍啦。」她說。

她滔滔不絕之際，我想起她對蓋布利歐的評論，說他太愛我了，但多半還是說他是個傷口。沃恩也是這樣看待珍娜；對他來說，她一無是處，沒辦法為他家傳宗接代，對他兒子也沒真感情，最後她因此喪命。

在這世上做人非得要有用處，第一代似乎沒人反對這種說法。

她正離題談到夏天的蚊子，我開口打斷她。「他很壯，很能幹活兒，他能提重物，又會煮飯，沒什麼事會難倒他。」

「但我信不過他，我對他知道些什麼？他好像是天上掉下來的，落在我腳邊。」姨娘說。

「可是妳現在相信我啦，跟我說這麼多心底話。」我說。

她捏捏我的肩膀，像個癲狂的怪小孩咯咯笑。「我誰也不信，我這不是相信妳。是在為妳做準備。」她說。

「為我做準備？」我覆述道。

我們一邊走，她一邊把頭倚在我肩上，她暖暖的鼻息，使我頸背的汗毛直豎；她抽的菸令人窒息，我隱忍不咳。

「我為旗下的姑娘做牛做馬，但她們身子還是很虛。筋疲力盡。不過妳完美無瑕。我在想啊，我不會把妳交到恩客手上，讓他們貶低妳的價值。」

貶低我的價值。這句話使我的胃開始擰攪。

姨娘說：「倒不如讓妳保持冰清玉潔之身，讓我撈更多銀兩。我們得為妳找個地方。或許教妳跳舞吧。」就算沒看她的臉，我也能感受她的微笑。「讓他們嘗點甜頭。讓他們心醉神迷。」

我無法順著她思緒的黑暗旅程走，索性脫口而出：「那跟我一起來的男孩呢？如果真要我為妳做生意……」這個詞卡在我舌尖，「我必須確定他平安無事，也要找個地方安置他才行。」

「說得好，這個要求不算什麼。不過要是證明他是間諜，他就非死不可。記得把我的話轉告給他。」姨娘說。她頓時變得索然無味。

傍晚姨娘送我回綠帳篷，說有位姑娘馬上會來看我。我猜在翡翠跟青瓷死於病毒前，這裡或許是她們的地盤。

蓋布利歐還是不省人事，有個孩子讓他把頭靠在她大腿上。那是我稍早見過的雙胞胎之一。

「請別生氣；我知道我不該來的，他發出可怕的聲音。我不希望他孤伶伶的。」她頭也沒抬地說。

「什麼聲音？」我語氣溫柔地說，並往他身邊一跪，只見他的膚色比以往還要蒼白。他的臉頰和喉頭起了紅疹，瘀傷周圍的皮膚顏色鮮橙如火焰。

「病人感到不舒服的聲音，」她低語道。她髮色似金，眼睫毛也是金黃色，宛如小小的光束上下拍動。她用小手拂去臉上的髮絲。「戒指是他送妳的嗎？」她問我，下巴往我的手點了一下。

我沒回話，只是把毛巾往臉盆裡浸，再把水擰乾，輕拭蓋布利歐的臉。這種感覺既恐怖又熟悉——眼睜睜地看著我關心的人受苦，但除了遞水之外什麼忙也幫不上。

「總有一天我也要得到純金打造的戒指，總有一天我會當上大老婆。我很確定，看我的屁股就知道我很會生。」女孩說。

倘若情勢沒那麼可怕，我一定會笑出聲。「我認識一個女孩也是從小立志當新娘。」我說。

她望著我，蒼翠的眼眸瞪得大而熱切。有那麼一瞬間，我猜女孩說得沒錯。她長大以後會熱情如火、生氣蓬勃；採花賊擄走的其他女孩死氣沉沉，和她們站在一排，她自然脫穎而出；有的男的會挑中她，充滿慾火地走近她的床邊。

「她成功了嗎？我是說她當上新娘了嗎？」女孩問道。

「她是我的姊妹妻，而且沒錯，她也得到一枚金戒指。」我說。

女孩笑逐顏開，露出少了一顆的門牙。淺褐色的雀斑點綴她的鼻頭，又好似胭紅灑落她的雙頰。

「她一定很美吧。」女孩說。

「她當時很美，現在也是。」我糾正這句話。西西莉雖遠在天邊，但她人還活著。我不敢相信我竟然差點忘了。我任她在雪地高聲呼喚我的名字，彷彿是上輩子的事了。我頭也不回地拔腿狂奔，這輩子從沒那樣對別人生氣。

在這煙霧瀰漫、令人暈頭轉向的地方，過往雲煙竟恍如隔世。我的怒氣早就消了。其實對什麼都沒太多感覺了。

「病人怎麼樣？」紫羅蘭在門口問道。女孩猛一回神，面容轉為溫順。她真的被逮到了，只好輕輕把蓋布利歐的頭從大腿上移開，嘴裡咕噥著道歉，罵自己是個傻丫頭，三步併作兩步地離開。

「她的工作是照護病房，只是抗拒不了落難的白馬王子。」紫羅蘭說。

在日光下的紫羅蘭，素顏依舊動人。她的雙眸撩人又哀愁，笑容有氣無力，頭髮蓬亂、僵直。她那和眼眸一樣幽暗的皮膚裹著藍色的薄披巾。細雪在她的背後紛飛。

她說：「別擔心，妳的王子不會有事的，只是鎮靜劑的藥效還沒完全散。」

「妳為他注射什麼？」我毫不掩飾怒意地問她。

「一點天使之血罷了。為了助眠，我們也會自己打針。」

「助眠？他是昏睡不醒欸。」我咆哮道。

「姨娘對新來的男孩防得很。」紫羅蘭說，話中流露憐憫。她跪在我身邊，手指往蓋布利歐的喉頭一壓，靜靜監測他的脈搏。然後說：「她覺得男孩都是間諜，都是要來搶她姑娘的。」

「但只要肯花錢，誰都能對這些姑娘為所欲為。」

紫羅蘭針對性地說：「這裡有嚴密的監督，假如有人想搞什麼小動作，有時候他們會……」她比了手槍的形狀，對著我開槍。「摩天輪後面有個大焚化爐讓她焚屍滅跡，是傑拉德用什麼舊機器組裝的。」

我不意外。火葬是最多人用來處理屍體的方式。畢竟人類凋零的速度之快，根本沒空間讓所有人下葬，病毒污染土壤的謠傳也時有所聞。一如有採花賊在暗巷擄走女孩，也有清潔夫從路邊撿拾被人扔棄的屍體，拖到市立焚化爐。

想到這裡我就心痛。我可以感受到羅恩，哪怕只是彈指之間，我真實地感受到他四處尋找我的屍體，擔心我早化作飛灰。他經過焚化爐，見到骨灰大量堆積，會不會怕吸進肚裡的灰其實是我？我的骨頭或大腦？或跟他一模一樣的雙眸？

「妳臉色有點蒼白，別擔心，今晚我們不會做太繁重的工作。」紫羅蘭說。她怎麼看出來的？這座帳篷裡的一切無不泛綠。

我什麼都不想做，只想坐在這裡陪蓋布利歐，不讓他接受任何消耗體力的注射。但我也知道，在姨娘的世界如果想逃跑，就得照她的規矩玩。我對自己心戰喊話：以前都熬過來了，現在也做得到。信任是最有力的武器。

紫羅蘭對我綻露微笑，那是疲憊但嬌美的笑容。「應該會從妳的頭髮開始改造，它經得起洗吧，然後再想想什麼顏色的妝最適合妳。有沒有人跟妳說過，妳的臉是張美好的畫布？妳真該瞧瞧我怎麼化腐朽為神奇的。有些姑娘的鼻子實在慘不忍睹。」

「幹麼化妝？」我問道，害怕得胃絞痛。

紫羅蘭說：「只是練習一下，嘗試幾種妝容，讓女王殿下過目。」她不帶感情地說出「女王」二字。「只要她批准色系，我們就可以開始訓練妳了。」

「訓練我？」

紫羅蘭伸直腰桿，把胸脯往前挺，假裝整理頭髮；她的秀髮好似液態巧克力在指間流動。她模仿姨娘的假口音。「親愛的，勾引的藝術。」勾引的藝素。

姨娘要我當她旗下的姑娘。她還是想把我賣給她的尋芳客，只不過賣的方式有別以往。

我望著蓋布利歐。只見他抿緊雙唇。他聽得到外界的紛擾嗎？醒一醒啊！我多希望他醒來救我，像之前他冒著颶風挺身而出。我多希望他帶著我一起逃走。可是我知道他辦不到。落得這步田地都是我咎由自取，如今也只剩自己孤軍奮戰了。

第四章

這座帳篷的顏色，一如從天花板垂盪的串珠，是紅的；如果我們直挺挺地站在鏡子前，腦袋都快要撞上篷頂。空氣裡淨是菸味，但我對臭味已經感到麻木。紫羅蘭將我的頭髮編了幾十根小辮子，然後浸在水裡，「把頭髮變捲。」

戶外響起銅管樂。瑪蒂坐在入口窺視夜景。我沿著她的目光，看到一條白皙滑嫩的大腿和一縷洋裝。帳篷外傳來飢渴、戰慄的呻吟和喘息。紫羅蘭咯咯輕笑，為我塗唇膏。她說：「那是小紅家族的成員，八成是緋紅吧。她巴不得全世界都知道她是妓女。」她挺直腰桿，將「妓女」二字對著夜空叫嚷，這話自然掠過瑪蒂耳邊，她正一面觀賞，一面拿爛掉一半的草莓塞滿嘴。外面的女孩伴著笑語，又是尖嘯又是號叫。

我想問紫羅蘭為什麼讓女兒看外面的景象，卻又想起姊妹妻是怎麼揶揄我的。明明我人就在房裡，她們竟面不改色地換裝，或只穿內衣就跑到走廊互相借東西。西西莉到了懷孕末期，甚至連睡袍都懶得扣，挺著大肚腩大搖大擺地到處走。跟這麼多女孩擠在一起長大，自然也沒有害臊的餘地。

而我在這裡應該融入其中，不能害臊。假如姨娘發現我暗通款曲的狂放行徑全是胡謅的，其他事她也不會相信我了。於是我不為所動地聽紫羅蘭解釋姨娘怎麼用色彩為女孩分門別類。

小紅家族最得姨娘的寵愛：緋紅和珊瑚打從還是小嬰孩時就一直跟著她，能夠隨意借用她的人造珠寶。因為她們雙眸明亮、長髮飄逸，賣身的價錢最漂亮，娘姨不僅讓她們洗熱水澡，她在帳篷後面小園子裡種的草莓，只要是最飽熟的一定會落入她們口中。

小藍家族是她最神祕的女孩：紫藍、靛藍、寶藍和天藍。她們入睡時貼著彼此，總會相互竊竊私語，咯咯傻笑。可是她們牙齒很髒，多半都掉光了，只會被不願多掏錢的男人挑中，也從來不會在內室待太久。男人三兩下就將她們解決，有時站著、倚著樹，甚至不畏眾目睽睽，直接在帳篷就辦起事來。

還有更多女孩，更多色彩在我腦袋裡融成一團渾濁。紫羅蘭講解到一半，叫瑪蒂遞雙氧水給她。手指跟嘴都被草莓汁染紅的瑪蒂爬到（我發現她很少用走的）瓶瓶罐罐前，找到貼了雙氧水標籤的，遞給母親。

「她怎麼知道是哪一瓶？」我問道。

「她識字。」紫羅蘭傾斜瓶身，往一塊布上倒，抹去我臉頰上的部分胭紅。「她可聰明了。不過女王殿下……」她又帶著敵意說：「喜歡把她藏起來，把她當作沒用的怪胎。」

「怪胎」是對基因缺陷者的歧視稱呼。有時女人會在我爸媽工作的實驗室產下畸形兒——天生眼盲、耳聾，或在外形上有任何缺陷。但更常見的是眼睛異常的孩童，他們不會說話，無法做到同齡孩子會做的事，基因研究也還無法理解他們的行為舉止。媽媽曾向我提過一個畸形男孩，他每晚幻想見鬼，嚇得不停哭號。我跟哥哥出生前，爸媽曾生過一對畸形雙胞胎，他們同樣患有虹膜異色症——一褐一藍，可是雙眼全盲，又不會講話，即使爸媽盡了最大的努力，他們還是活不過五歲。

孤兒院裡的畸形兒會被處死，因為在正常人心目中，倘若他們沒有自殺，將是一群無力照顧自己的寄生蟲。不過換到實驗室，他們則是基因研究的最佳人選，因為沒人知道他們為什麼會與眾不同。

「姨娘說她會咬客人。」我說。

手拿眼線筆、湊近我面前湊的紫羅蘭仰頭大笑。笑聲混著呻吟、銅管樂，和姨娘使喚男僕的吼叫聲。

「那很好啊！」她說。

姨娘在遠處高聲呼喚紫羅蘭，後者翻了個白眼，咕噥一聲。「喝醉了。」她嘀咕道，舔了一下拇指，好暈開我眼皮上的眼線。「馬上回來，不要亂跑。」

說得好像我跑得了。我可以聽見手槍在門外守衛的皮套中咯咯響。

「紫羅蘭！妳人在哪裡？笨丫頭。」姨娘操異地口音，含糊不清地嚷叫。

紫羅蘭暗罵幾個髒字，匆匆出門。瑪蒂提著那桶爛掉一半的草莓跟她出去。

地上鋪了粉紅色的床單，於是我往後躺，把頭靠在許多靠枕的其中一個。靠枕的邊緣繡了成串珠子。我這麼累，應該都是薰香害的。我疲憊不堪，雙臂和兩腿都有如千斤重。問題是這色彩是平常的兩倍亮，音量是平常的兩倍大。咯咯笑、呻吟和喘息也是女孩自成一格的音樂。我覺得這裡有種魔力，使姨娘的尋芳客如見著燈塔微光的漁夫絡繹不絕地上門。但這裡也令人膽寒。在這裡當個女孩教人不寒而慄。其實在世上生為女孩就足以令人心驚。

我閉上眼，雙臂圈著靠枕。身上只穿金色的緞料襯裙（金色儼然是姨娘指定給金花的顏色），儘管戶外吹著風，帳篷裡卻很溫暖。這大概要歸功於繚繞的薰香、傑拉德的地下暖氣，和提燈裡的那些蠟燭。姨娘確實做了通盤考量。旗下的姑娘要是全裹著冬衣，就很難吸引尋芳客的青睞。

我在溫暖中感到出奇舒服。打盹變得無比誘人。

*別忘了妳怎麼來這裡的。千萬別忘。*珍娜說。

我和她並排躺在加了紗網頂篷的床上。她沒死。被我好好裹在夢裡的她還沒死。

千萬別忘。

我緊閉雙眼。不願回想姊妹妻慘死的樣子。她的皮膚瘀青腐爛，雙眼覆了薄膜。我只想假裝她沒事，再自欺欺人一會兒。

但教我怎麼也擺脫不了的是：珍娜試著警告我別在危險的境地太過安逸。我仍能聞到她病榻的藥味和腐朽味。我愈是沉入夢鄉，味道就愈濃。

珠簾嗖地揮動，入口邊上的串珠嘩啦啦響，令我猛一回神。

只見蓋布利歐兩眼澄澈、雙腿穩健地站著，他身穿厚重的黑色高領毛衣、牛仔褲和針織襪。這是姨娘旗下的守衛制服。

有好一陣子我們只是倆倆相望，好似分隔多年，這些日子我也確實度日如年。我們來了以後，他因為注射天使之血一直陷入昏迷；只要姨娘一有空，我又會被她帶走。

我問道：「你感覺怎樣？」他也同時開口：「妳看起來……」

我在許多靠枕中坐直身子，他往我身旁一坐，提燈的光映出他顏色暗沉的眼袋。今早我離開他的時候，姨娘對紫羅蘭下嚴令，不許再為他施打天使之血；但他那時正在沉睡，蠕動雙唇、說些我聽不懂的話。現在，至少他的臉頰已恢復血色。事實上，他的雙頰很紅潤。紫羅蘭點了那些薰香棒，再加上提燈裡既熱又散發糖果甜味的蠟燭，把這座帳篷變得格外暖和。

「你感覺怎樣？」我重問一遍。

「很好，頭幾分鐘看見幻象，不過後來好了。」他雙手微顫，於是我覆著他的手。他的肌膚有點濕黏，但跟他不省人事、在我身旁發抖時要好得多。光是想到他的病情，我就緊抓他不放。

「我很抱歉，還沒想到要怎麼逃離這裡，不過我應該替我們爭取到一點時間。姨娘要我表演。」我低語道。

「表演？」蓋布利歐問我。

「詳情我也不曉得，大概是跳舞什麼的吧。幸好沒有更糟。」

對此他沒多說什麼。我倆都很清楚其他女孩做的是什麼樣的表演。

「一定有法子出大門的，不然……」蓋布利歐輕聲說。

「噓。外面好像有東西。」

我倆聚精會神地聆聽，但我自以為聽見的窸窣聲也沒再響起。或許是風聲吧，也可能是姨娘步履輕盈地走過。

以防萬一，我換了個比較安全的話題。「你怎麼知道我在這裡的？」

「有個小女孩等我醒來。遞給我這些衣物，叫我去找紅帳篷。」

我情不自禁，用雙臂將他環抱，往他胸前一撲。「我好擔心啊。」

他的回應是輕吻我的頸窩，雙手拂掠我肩頭的秀髮。每晚躺在他身邊，感受他行屍走肉般的空虛，做片段的夢，夢裡有擺了六月豆的銀製托盤，官邸裡迂迴曲折的走廊和宛如迷宮的籬笆步道，任我怎麼走都無法接近他，這一切真是夠了。

如今我感覺他整個人的重量。這使我變得貪婪，一面側著頭讓他落在脖子的吻一路爬到我的嘴唇，一面往後仰，靠在枕頭上，弄得串珠嗶啦響。一顆寶石鈕釦壓到我的背。

薰香的煙龍飛鳳舞，沿著我們的身體繚繞。它使人飄飄然的香味把我熏得淚眼汪汪，我覺得怪怪的。莫名疲累又興奮。

「等等，你不覺得奇怪嗎？」我對把我襯裙肩帶往肩膀下撩的蓋布利歐說。

「奇怪？」他吻著我說。

我敢保證煙霧變得兩倍濃厚。

帳篷彼端窸窣作響，我如驚弓之鳥，旋即起身。蓋布利歐眨眨眼，他弓著我的手臂，汗水從他一頭濕髮涓滴而下。事有蹊蹺，像有什麼魔咒，什麼超自然力量的吸引。肯定是這樣沒錯。有種從遠處歸來的感覺。

然後我聽見姨娘咯咯笑，是她笑的錯不了。她衝進帳篷鼓掌，白色的笑容在煙霧中飄蕩。她用聽起來支離破碎的法文說了什麼，大腳往薰香棒上踩，把煙熄了。「太棒了！紫羅蘭，一共賺了多少？」她叫道。

紫羅蘭悄悄進帳篷，整理一疊紙鈔。「姨娘，十張，其他人抱怨沒辦法從縫裡看見。」受驚的我聽見男人的聲音在帳篷彼端失望地發牢騷，又看見珠簾後的帳篷被人蓄意割了條縫。我隱忍尖叫，胸前緊抱一顆粉紅色的絲綢枕頭遮掩身體。

蓋布利歐繃緊下巴，我將手搭在他膝蓋上，希望他別出聲。無論姨娘葫蘆裡賣的是什麼藥，我們都要按照劇本演。

「春藥效果挺強的，是吧？」姨娘邊說邊把手伸進一只提燈，用一根手指跟拇指將火捻熄。「很好，你們這齣戲表現得不錯。」她盯著我，又加了句：「看得到吃不到，男人反而出更高價。」

第五章

姨娘叫我們小情侶。以紅色的草寫體將比翼鳥三個字寫在某塊舊籬笆的破木板上。她正在用零碎的生鏽鐵絲和掛衣鉤打造鳥籠。我早上用金色眼影、水和漿糊調製塗料；她叫蓋布利歐彎折鐵絲，再用那些塗料上漆。金色化妝品被沒收，女孩們自然悶悶不樂，經過我身邊時有意無意地撞我，了無生氣的雙眼死瞪著我，低聲嘀咕什麼我聽不見，又朝地上吐口水。

「她們在吃醋，新進的生力軍招妒。」紫羅蘭說。嘴裡含別針的她，正在為白襯衫縫褶邊。

我們縮在紅帳篷裡。我拿灰羽毛往鍍鋅桶的藍色染料浸，然後再用曬衣夾把它們固定在臨時晾衣繩上晾乾。不曉得是哪種鳥為此喪命，大概是鴿子或海鷗吧。染料沾得我滿手都是，斗大的顏料滴在我破爛的特大號襯衫上，那是我身上僅有的衣服。姨娘不讓染料有任何濺灑高級衣物的機會。

「不對，不對，不對！丫頭，妳把羽毛搞得一團亂。」姨娘大喊著衝進帳篷，叫聲震搖四壁。

「就跟妳說了我不會染色嘛！」我咕噥道。

姨娘抓住我的胳臂，拉我起身。「算了，反正我有話要跟妳說，禮服由紫羅蘭幫妳完工。」

紫羅蘭嘀咕了什麼我聽不見，但姨娘朝她踢起一個泥塊，害她對著襯衫猛咳。

「綠帳篷裡給妳擺了洗臉盆和洋裝，把自己弄得可以見人就到摩天輪旁找我。」姨娘說。

我費了九牛二虎之力才把手指上大部分的染料給刮掉。有些卡在指甲根部的表皮，為指甲圈出藍邊，兩隻手本身就好似素描。

我跟姨娘碰面時，摩天輪正慢慢旋轉。「天冷要暖機。」姨娘邊說邊把一條針織披巾圍在我肩上。「不過我們有事要討論，在平地講會被偷聽。」

傑拉德拉了一下控制桿，摩天輪不再轉動，其中一個車廂停在我們面前。

姨娘領我向前，跟在我後面爬進車廂。我們向上攀升，車廂搖晃，嘰嘎作響。

「妳的肩胛骨很美，背部也恰到好處，脊椎骨沒有太多節瘤，若隱若現地在皮肉之下浮現。」姨娘說。我聽不出今天她是操哪裡的口音。

「妳偷看我換衣服。」我說。這是肯定句。

她也懶得否認。「我賣的是什麼，自己總得搞清楚。」

「那妳賣的是什麼？」我問她，這回鼓起勇氣，不再盯著自己緊握的拳頭，轉而面對她罩著煙霧的臉。香菸的餘燼在空中飛掠，火星扎著我赤裸的雙膝。遠離傑拉德用來使土壤保暖的裝置，升到高空，寒風凜冽。我開始流鼻水了，只好緊摟著肩上的披巾。

「跟妳說過啦，幻影。」她說。

她綻露笑容，兩眼幽暗出神，一根手指沿著我的臉頰輕拂而下。她的嗓音低沉甜美。「妳很快就會一蹶不振，皮肉會從骨頭上化開。妳會尖叫連連、哭天搶地，最後嗚呼哀哉，妳沒多少歲數可活了。」

我不准想像放肆，有時候忽略事實是再簡單不過的事。

「妳會收入場費嗎？」我說。

「不會。」她嘆了口氣，把抽光的菸往旁邊一扔。少了菸她變得不完整，整個人也顯得嬌小。「我想讓恩客忘掉那些醜惡的事。沒有人看著妳會聯想起妳的大限之日，人們只會看見青春如峽谷般向外延伸。」

我情不自禁地俯視地面。大多數的女孩白天都在補眠，但也有不少人到處走動，差遣小孩，照料雜草叢生的園地，在保鏢面前搔首弄姿，換取一點目光。做任何能讓她們感覺自己還活著的事。她們全都恨我這麼高高在上。

「妳會為我登台演齣好戲吧？規矩只有一個，妳跟妳的老相好要假裝兩人獨處，恩客不想被人看見。他們不會躲在牆後，他們本身就是牆壁。」姨娘說。

為「牆壁」演出的構想無法為我帶來任何慰藉。但我只要照著她的劇本走，最後想辦法逃跑就是了。跟蓋布利歐一同關在臨時替代的鳥籠，假裝只有兩人獨處，不是最糟的下場，對吧？我感覺咽喉又乾又腫。

姨娘把手伸進披垂胸前、亮得刺眼的幾層披巾，掏出一個銀色的小粉盒，將它打開，展示一顆粉紅藥丸。

我戒慎恐懼地注視它。

「避孕藥，自從禁止節育之後，市面上充斥許多假藥丸。不過我的賣家很可靠，藥是他自己做的。」她說。

地面上一名小紅揪住某個孩子的頭髮，把她拖過摩天輪；孩子像在嘲弄我們似地發出尖叫。

「每個姑娘都給的話，就是浪費了，只能給有用的。萬一又讓紫羅蘭生，天曉得她子宮裡會掉出什麼怪物，光想到這裡，我就要發抖。」姨娘說。

紫羅蘭，憤世嫉俗又冰雪聰穎的可人兒。她應該是個好母親吧。在這個鬼地方，又要養瑪蒂這種孩子，她這樣的母親已是不可多得。但是到了晚上，等客人上門，她卻隱藏這項事實。她是當家紅牌，只有價錢出得最高的——大多是薪資在金字塔頂端的第一代，才請得動她。姨娘與有榮焉地說。不過，自從產下瑪蒂後紫羅蘭就沒再生過孩子，這大概都得歸功於粉紅小藥丸。

儘管如此，我還是不願服藥。這個鬼地方哪有什麼可信的？就連空氣中的香味都能讓我舉止異常。

姨娘硬是把它往我嘴裡塞。「吞下去。」她說。她上了指彩的尖指甲掐著我的脖子。我掙扎著頭往後仰，還沒來得及反應，就把藥丸嚥下去了。它滑進食道，扎得很痛。

我難受的表情惹得姨娘咯咯笑。「以後妳會感謝我的。」她邊說邊用手臂摟我肩膀。「妳瞧，雲朵是怎麼編織的，好像小女孩的髮辮。」她的低語搔得我耳朵好癢。

寒風、煙霧和藥丸使我淚如泉湧，等我終於把眼淚眨掉，雲朵已變成截然不同的形狀。但姨娘惆悵的表情依舊。編織，好像小女孩的髮辮。我覺得她對亡女有無限的思念，只是嘴硬不願承認。說也奇怪，這竟為我帶來安慰。相思之苦證明她也只是個凡人。

〰

我赤腳下的鬆土很暖和，隨著傑拉德的機器嗡嗡作響地運轉。我不得不承認這很誘人；我老想做白日夢，幻想自己躺在土裡安然入睡。

我跟蓋布利歐正在努力把大鳥籠的尖釘插進土裡。幾碼之外，傑拉德跟不少保鏢在土地上安置尖釘，準備圍著尖釘為今晚的演出搭起帳篷。

這是整天下來我跟蓋布利歐頭一回有機會獨處，儘管如此，守衛還是近得隨時可以偷聽我們講話。我發現他在偷瞄我，他乾裂的唇嘛在一起，像是有話要說。

「好。」我邊說邊貼著他的背往下壓，然後繞到他另一邊，幫他把鐵條插進土裡。「怎麼了？」我輕聲問他。

「我們是不是真的要登台？表演？」他低聲反問我。

我走到另一根鐵條前，把它往下壓。「我們別無選擇。」

「我原本以為可以試著逃跑，可是這裡圍了籬笆。」他說。

「它好像怪怪的，你沒發現那邊有聲音嗎？嗡嗡響？」我說。

「我以為那是從焚化爐傳來的，去查一下也不會怎樣。」他說。

我搖搖頭。「假如被人發現，我們會被關起來的。」

「那就要確定不會有人發現。」

「這裡時時刻刻都有人監視。」

我偷瞄傑拉德一眼，其實他一直都在監視我，只是現在又別過頭去。

「應該差不多了，這座鳥籠夠堅固了。」我邊說邊撣去手掌上微光閃爍的殘留金砂。

比翼鳥。招牌置於桃紅色的新帳篷外，在粗陋中展現優雅。

我們站在鳥籠旁，女孩們勉為其難地在我們周圍點燃薰香和提燈，使我們的影子翩然起舞。起初姨娘想搭一座黃色帳篷，後來覺得桃紅色最能襯托我們的膚色。她說我太死白了。

蓋布利歐剛呢喃了什麼，但煙霧繚繞，心跳聲又在我耳朵轟隆作響，所以我沒聽見。他身上那件褶邊襯衫是紫羅蘭花一整個下午縫的。羽毛把我包得密不透風；它們黏在我的頭髮上，又宛如一對巨大的天使羽翼在我背上排列。染料還沒全乾，水水的彩色斑紋沾染我的手臂。

他雙手捧著我的臉，輕聲說：「我們還是可以逃跑的。」

我發現自己的胳臂在顫抖，卻只是搖搖頭。此時此刻我最想做的就是拔腿就逃，問題是我們怎麼也逃不出姨娘的五指山。這座鴉片仙境裡的姨娘會在蓋布利歐身上扣上間諜的罪名，將他處死。還有天曉得她會怎麼處置我。幸好我長得像她死去的女兒。所以她對我和其他女孩有雙重標準，特別偏愛於我。我感覺試探性的信任感正在我倆之間茁壯，假使我能好好經營信任感，或許就能為我換來更多自由。雖然先前這招對林登管用，但在這裡我卻不敢抱太大期望。紫羅蘭是姨娘最信賴的姑娘，她帶來財富、接受訓練，又一手打理洋裝和表演，所以取信於人。只是，紫羅蘭似乎沒有比其他女孩更接近自由。

但說到底，討姨娘歡心，對我總不會有壞處。

「吻我就對了。」我邊說邊抬起鳥籠的門閂，往籠裡退。

第六章

我筋疲力竭，一回綠帳篷就鑽進毛毯。這裡沒那麼煙霧彌漫，但我也已習慣姨娘鴉片菸永無止境的迷濛，和女孩們身上噴灑的香水味。

蓋布利歐坐在我身旁，把別在我頭髮、好似后冠的染色羽毛解開，工整地疊在泥土地上，盯著它們發愣。

「怎麼了？」我問他。時候已晚。我們離開鳥籠時，只見如長春花般的淡紫色天空正露出曙光。

「那些男人一直死盯著妳不放。」他說。

我把這個想法拋諸腦後，表演時也不允許視線移到籠外——我將注意力放在遠處吹奏的銅管樂，而非窸窣聲和交頭接耳的呢喃，反正這些聲音沒過多久全都糊成一片。鐵條上繫著絲巾，輕拂我們的肌膚。蓋布利歐吻我。我張開雙唇，閉上眼。感覺像是做了一場短暫、朦朧的夢。有好幾次他輕聲呼喚要我醒來，我睜開眼只看見他眼中幽暗的擔憂。還記得我是這麼說的：沒關係。

如今我也幽幽吐出這幾個字。「沒關係。」它是我的真言。

「萊茵，我一點都不喜歡這樣。」他低聲說。

「噓……」我說。我的眼皮太過沉重。「在我旁邊躺一會兒吧。」

他沒照辦。我感覺有人輕壓我背後，這才發現是他幫我一根一根解開洋裝上的羽毛。

時光荏苒，紫的、綠的、崩裂的金，好似帝國瓦解，從鍍金的鐵條濺散開來。四面八方只剩黑暗。我身處某種隧道，在睡夢與表演間的時光夢遊。

蓋布利歐在遙遠的某處憂心忡忡地說：「是時候走了，不能再這樣下去了。」可是到了下一秒，他又吻我，撐著我的胳肢窩，我撲倒在他懷裡。

摩天輪轉呀轉，在天空留下一道道光痕。女孩輕笑、嘔吐，孩童好似蟑螂亂爬，守衛像在發出警訊，目光絕不離開手槍。

白花花的冰水嘩啦啦地潑在我臉上，我慌亂地吐水。

「妳在聽我說話嗎？」蓋布利歐壓低嗓音，嚴厲地問。

我咳了幾聲，用手腕擦拭雙眼。「什麼？」我說。

我們在綠帳篷裡。身邊全是羽毛。

「我們非走不可。現在就得走，妳要變成她們了。」他說。我努力在他臉上聚焦。

我眨了幾下眼，試圖保持清醒。我們的毛毯都濕了。「變成誰？」

「變成那些被人糟蹋的女孩，妳看不出來嗎？我們走。」他說。

他拉我起身，但我死命抗拒。「不行，她會抓到我們的。她會把你殺了。」

「你要知道，她說得對。」紫羅蘭說。她交叉雙臂，站在入口。破曉的晨光在她背後照耀，襯托她優雅的身材，好似一條黑色緞帶。「最好不要幹傻事，到處都是她的眼線。」

蓋布利歐啞口無言，只是盯著她瞧。等她走後，他遞給我一條破布擦臉。

「不能再拖了，」他堅持主張。

「好，不拖了。」我對他說。

儘管瞌睡蟲聲聲呼喚，我仍強打精神、保持清醒。我跟蓋布利歐低聲討論日後的選項，無奈前景淒涼到令人沮喪。講來講去最後都回到籬笆，攀爬籬笆的方式，從籬笆底下挖隧道的方式。他說他跟幾個保鑣要重漆旋轉木馬，到時候會好好把那裡研究仔細。

我們終於還是睡著了，太陽高照，待在這座帳篷就像身處祖母綠的核心。我在漸漸入夢前感覺到他吻我的嘴唇。這個吻千真萬確又真摯，於是我同樣回以一吻。有什麼東西在我胸膛騷動，但我強逼這些感覺離開。我們被人觀賞的感覺，一直教我揮之不去。

我在夢裡跟著姨娘逼我嚥下喉嚨的粉紅藥丸走。我沿著舌頭往下滑，進入一個幽深的洞穴。我嘩啦啦地高聲著陸，化為液體，大驚失色。

紫羅蘭拽我頭髮，害我痛得驚醒。「工作偷睡覺？」她說。我睜開眼，撲鼻而來的仍是瀰漫焦味的空氣和姨娘的濃重香水。紫羅蘭正在幫我的頭髮上捲子，我一定是不小心睡著了。

如今她抓住我的手腕，硬是把我拉起來，我的捲髮也散開了。「姨娘要見妳。」她說。

「現在？」

「不，是明天，等她宿醉，所有客人都走了之後。換穿這件。」她遞給我一團豔陽黃的布料，我猜八成是洋裝，連轉身也免了就直接換裝。

洋裝長到拖地，紫羅蘭得幫我想該怎麼把它披在我的肩頭。「這叫作紗麗。」紫羅蘭說。「一開始穿會有點怪怪的，但妳相信我，姨娘只有在展示姑娘的時候才會要她穿。」

「到底要向誰展示我？」

紫羅蘭只是微笑，拉直披在我肩上的織物，牽我的手領我出門。

她把我拖進黑夜，天氣冷到像是搧我巴掌。白雪縷縷飛旋，從未降落在地上。景色反映現況：雪不落定，人也不安穩；女孩老是靜不下來；一切像是機器裡的嵌齒，像是巨型腕錶的齒輪。

姨娘張開雙臂，向我狂奔，她的披巾和蓬蓬袖，橘的、紫的、絲質綠的，拖在背後。

「現在妳看起來可像淑女了。」她說。

傑拉德交疊雙臂，站在她背後，一條橘色電線掛在他脖子上，手裡握著一盞提燈。他的衣袖扯破了，肌肉發達的胳臂沾了油漬。稍早我看見他躺在一部大機器下，機器看起來像是用燈串連的一堆汽車零件。縱使寒意逼人，汗珠卻在他臉上閃耀。他用幽暗的死魚眼瞪我。

姨娘掐我臉頰，在她的指關節間扭轉。我雖痛得往後縮，卻沒閃避。「臉上要有點血色。」她咯咯笑著說。「來，來，來。」她抓著我的手腕走，傑拉德雖跟在後頭，卻和我們保持距離。我可以感覺他的目光彷彿要在我的後腦杓鑽個洞。

踩在卵石上使得我的腳傷痕累累。這裡的怪事還有這樁——沒人穿鞋。

我們經過旋轉著但沒人坐的摩天輪，也經過窸窣作響、傳來傻笑、又散發搖曳燈火的幾座帳篷。寒風像在喃喃細語，只是說什麼我聽不懂。姨娘香菸的餘燼飛到我眼前。有什麼東西在枯萎的太陽花田之中移動。起初我以為是什麼動物，後來才發現那是瑪蒂隨風飄逸的白洋裝。奇怪的孩子。就連紫羅蘭也這麼說。說她瘋癲卻又聰慧，令人驚豔，說她應該在一個更美好的世界長大。

我們一路走到鐵網籬笆，我跟蓋布利歐曾心不甘情不願地被人拖進這個與世隔絕的分水嶺。我從眼角看見瑪蒂用手撥開野草。她的雙眸在黑暗中好似火花。她用食指在半空中劃出字母的形狀，但我拼不出那些字。

傑拉德開啟籬笆，過程中視線始終沒離開我，彷彿在嘲弄我。彷彿在說：妳跑啊，試試看啊。

但是一如林登首次帶我出官邸出席展覽，我沒有逃跑。儘管心裡巴不得拔腿就跑。瑪蒂在暗影中激動地寫字。

我能在黑暗中聽見浪潮向外拍打，也能聞到海水的氣味。我既渴慕又畏怯，心裡七上八下。外面還有別的聲音。有什麼正向我們靠近。

「妳要見一位貴賓。」姨娘說話的同時，將熱氣呼進我耳裡。她抽的菸好似一條吐信的蛇纏繞我的咽喉。

我好像停止呼吸了，因為從黑暗中顯現的，虎背熊腰的男性形體，全是灰的。

沒人真正知道採花賊為什麼外套跟廂型車要選灰色。有時廂型車的烤漆拙劣到教人不敢恭維，灰漆呈水滴狀黏在車窗上，也把輪胎濺得斑斑污漬。外套不一定是制服——我知道的就這麼多。外套也都是手染的，剪裁跟樣式各有不同。採花賊是獨立的地下組織，但也有人說他們其實是為政府工作；唯一可以確定的是他們會成群結隊地行動；他們相互勾結，找個地方做掩人耳目的基地，然後伺機而動。或許從我們身上撈的錢，他們會分著用，拿來為廂型車買燃油、為槍支買彈藥、讓自己沉迷在酒精中或滿足其他慾望。

這個男的留給我的第一印象不是他外套的顏色，而是他身上的氣味。聞起來夾雜著霉味、酒味，和汗臭味。強搶民女對他們來說肯定是件吃力的工作，肯定會流很多汗。尤其是對付我們這種又打又抓，無所不用其極讓他們流血的女孩。

接著映入眼簾的是他的笑容，他的牙齒爛得就像姨娘旗下姑娘令人心碎的微笑。

我出於直覺後退半步，但姨娘用胳臂摟著我，指甲和廉價的首飾嵌進我的皮膚，直到我確定自己開始流血為止。

男人一手捧著我的臉，姨娘對傑拉德打了個手勢，他見狀便將提燈往我頭上舉。我這才進入狀況。這個男的，這名採花賊，凝視我雙眼的神情，就跟我和哥哥在市場裡挑蘋果時一個樣。男人眼底閃現欣喜的光。我掙扎了一下，還是沒有完全進入狀況。一直到姨娘開價。最後，我終於看懂瑪蒂寫給我的是什麼字了。

逃。

她的雙手還是動個不停，像在大聲疾呼。

逃逃逃逃逃。

採花賊開始討價還價，說他在街上擄人比這便宜多了。他看起來氣得都要吐口水了。姨娘只顧著笑，嘴裡邊吐煙邊說：「你找不到這種貨色的。」

逃。

不能逃啊！蓋布利歐還被囚禁在這裡欸。我很確定姨娘會把他殺了。只要等她發現他不願乖乖做她的保鏢，沒辦法在違背女孩意志的情況下挾持她，不肯拿槍，更別說射殺女孩了。

就算我拔腿就逃，又能逃多遠？傑拉德就站在我旁邊拿提燈照我，只要姨娘一聲令下，他便能馬上抓住我。我呼吸急促。怒火中燒。

逃逃逃。

逃到哪裡？又怎麼逃？

採花賊氣炸了，卻沒有要離開的意思。姨娘心裡有數：無論如何她都能把我賣掉，她為此沾沾自喜。說真的，我早該料到會有今天。多收個姑娘有什麼用？這裡的女孩沒有一個不凋謝、不枯萎、不被吃乾抹淨。有個帳篷住滿了罹患不同階段病毒的女孩，只要顧客願意上門，姨娘就半買半送給折扣。男人離去，抹掉鬍渣和嘴上的鮮血，那是垂死女孩的血。每樣東西都有價錢。她旗下多久沒有健康完好、神志完全清醒、牙齒潔白的女孩了？

她曾說我使她想起她的女兒。

她深愛的女兒。女兒死了，在她的靈魂留下永久的傷痕。她這輩子再也不會愛人了。

我不該那麼疼愛女兒的。畢竟這個世上什麼都活不長久。

採花賊壓低價碼。

你們這些孩子像是飛蠅。

姨娘開雙倍價。

又像玫瑰。

「妳搶劫啊！」他暴跳如雷地說。

繁衍了下一代卻朝生暮死。

姨娘把價錢乘上三倍。「這可是朵金花。」她扯開嗓門，彷彿高分貝男人就比較聽得進去。「她是一塊寶玉，以後會讓你賺大錢。」

「漂亮歸漂亮，但外面又不是沒有美女。」採花賊說。

「她是獨一無二的。」姨娘氣得脹紅了臉。她雙臂緊圈著我，像在保護我似的。「光是她手上這枚戒指就抵過我開的價了！你不買自有其他買主爭著要。」

在這緊要關頭，我燃起一絲希望。希望他別買下我，這樣姨娘就會把我送回帳篷，然後我就能帶蓋布利歐一塊兒溜走。

但採花賊把手伸向臀部，下一秒我低頭只見一根槍管。提燈的光照亮採花賊眼中的怒火，他的火氣比姨娘還大，吼著說他改變主意了，我，他是要定了，但是一毛錢也不願出，否則其他人也休想得到我。傑拉德掏槍指向採花賊，而採花賊也把槍口對準傑拉德。

我聽見長草間傳來一陣風聲，彷彿整個世界都在喘息。原來是瑪蒂自草叢間篡出。她隨即用她獨特的嗓音尖嘯，然後像隻水蛭扒在男人身上，往他腿上狠咬。這麼一個舉動教採花賊猝不及防。他試著將她甩開，她卻整個人纏在他腿上，又咬又抓又叫。

採花賊破口大罵、猛爆粗口，我覺得他其實沒有開槍的意圖，因為我看見槍響時他一臉詫異。但在一團混亂中，他又怎能專心？他射中傑拉德的胳臂，濺出一點鮮血。

接著又是一聲槍響，這回是從傑拉德的手槍發出。

這是我生平第二次看見採花賊在我面前癱頹，而且倒地不起。瑪蒂像是小貓在抽噎，環抱著傑拉德的腿。他蹲伏著安慰她，一手輕拍她的頭髮，另一手仍把槍口對準採花賊的屍體。

「王八蛋。」姨娘朝灰外套吐了口唾沫。採花賊死不瞑目，瞪著她踩熄香菸的赤腳。

「這是我其中一位最好的客戶，最美的姑娘我全往他那裡送。」姨娘說。集中一位最好的客戶。「竟然這樣回報我？」她又吐了一次口水。

傑拉德輕聲安慰瑪蒂。許多女人和保鏢都對瑪蒂鍾愛有加，把她當作某種寵物。但傑拉德是她的最愛，看見有人拿槍指著他顯然教她無法接受。

「還有你。」姨娘遷怒到傑拉德身上。她向他踱步而去，我也跌跌撞撞地被她拖著走。

「看看你留什麼爛攤子給我收！現在他死了，我要怎麼跟他那幫狐群狗黨解釋？他又不會開槍打她。只是做做樣子罷了。」

傑拉德站得直挺挺的，差不多比我高出整顆頭，也比姨娘高很多；然而，在盛怒難消的姨娘面前，他卻顯得很矮小。

「我……」他握緊雙拳，準備說話。姨娘摑了他一巴掌，先是摑臉，然後打他流血的胳臂，只見子彈已讓他皮開肉綻。

「你害我損失太多生意了！害我損失一輩子的買賣！」

她暴跳如雷，口音已不復見。她開始胡言亂語，說什麼有間諜，只要採花賊發現這件事，她就甭想再跟他們做生意了。她一而再、再而三地打傑拉德，我猜沃恩讓我離開房間的那天，就是那樣抽打蓋布利歐的，把他打到渾身瘀青、一瘸一拐。但傑拉德比蓋布利歐魁梧得多，也強壯得多，大可把姨娘撕成兩半，只是他沒這麼做罷了。他沒有反擊，因為她是他唯一的家，唯一的避風港。他是她的技術天才，她的心腹；無奈痛失骨肉令她痛心疾首，他這麼一個忠徒，理應好好寵愛，她卻還是以恨回報。以痛恨回報。

傑拉德默默承受，沒有退卻，沒有畏縮。七竅生煙的是瑪蒂。最後她忍無可忍，放聲尖叫，整個人撲向姨娘，力道強到兩個人都摔到地上。假的紅寶石和祖母綠在她們四周散開。然後姨娘把瑪蒂甩開，站在她面前踹她。聚在我們周圍的女孩要麼大笑，要麼尖叫——我分不清究竟是笑或叫。紫羅蘭向我們跑來，裙子如浪花在她四周以慢動作翻騰；傑拉德則緊抓姨娘的胳臂，想把她往後拽。他雖力大無窮，但姨娘像是被鬼神附身。他吶喊道：「她會被妳弄死的。」她也回吼：「我知道。」

瑪蒂蜷著身子，把膝蓋縮到胸前，纏結的黑髮披覆整張臉。就算她有發出任何聲音，也被其他女孩和姨娘的咒罵聲和噓聲淹沒。

傑拉德拽著姨娘的胳臂把她往後拉，但她的雙腳還是對著半空踢。我跟紫羅蘭蹲在瑪蒂旁邊，她動也不動，我一度以為她死了。

「把她弄走，快走！我攔她多久是多久。」傑拉德的嘶吼蓋過姨娘的尖嘯聲。

不知是怕還是生氣，紫蘿蘭全身發抖著。她輕易地把女兒瘦小的身體抱起。我拾起傑拉德放在地上的那盞提燈緊跟在後，用跑的免得跟不上。但當我轉向綠帳篷那頭時，紫羅蘭說：「不要往那裡。不然姨娘會發現她的。」

她領路狂奔，途中經過嗡嗚的焚化爐，它音量大到直竄入我骨子裡。姨娘以那個怪東西深深為傲；它用街道標誌和零星的金屬廣告牌焊接而成——有的上頭註明了價錢，像是爆米花和叫棉花糖的玩意兒。它發出啪啪響，像是裡面有什麼生物不斷衝撞金屬爐壁。姨娘曾說：這樣髒東西就容易清了。她撫弄我的頭髮，微笑時牙齒白得很不自然。一切化爲烏有，只剩塵埃。

這個瘋婆子在講這些話的時候，心裡到底在打什麼算盤？她是不是想把瑪蒂扔進那部機器的血盆大口，聽那孩子的尖叫逐漸消失，最後徒剩機械的劈啪響與嗡嗚？

她可能比沃恩還要心狠手辣。我的公公是個冷血的傢伙。他謀殺了我的姊妹妻。只不過，他手段更陰險，更詭計多端，宛如渾濁水域裡向你逼近的魚鰭，直到周圍的水染紅，你才發現危機到來。我從未在他眼中見過姨娘對小女孩拳打腳踢時的怒火。她在施虐的過程中自得其樂。巴不得要瑪蒂死掉。

我喘不過氣，被長度很誇張的紗麗絆到，但不願停下腳步。我擔心瑪蒂死了，深怕我們一停下腳步，就會發現她沒氣了；她這麼弱小，四肢好似幽暗鬆軟的野草，在紫羅蘭的胳臂上懸晃。

我們正在穿越姨娘的花園。蠻橫的草長及腰部。紫羅蘭止步，雙膝下跪。「拿燈過來。」她氣喘吁吁地對我說。我也跪著，高舉提燈。

瑪蒂的胸膛不停起伏。現在我離得夠近，可以聽見她微弱的嗚咽和呻吟。

「噓。」紫羅蘭柔情安撫，將女兒平放在草地上。「沒關係，寶貝，不要緊的。」紫羅蘭解開瑪蒂破洋裝的正面，我實在不解這裡冰天雪地的，怎麼都沒人穿外套。我猜傑拉德的暖氣大概是主因，因為如今遠離姨娘的菸和殘破嘉年華的燈火，我才意識到天氣有多冷。

紫羅蘭撫摸女兒的肋骨和胳臂，不過聽見女兒痛得呼叫就縮手。她忍氣吞聲，咕噥著咒罵姨娘，我發現她幽暗的雙眸溢滿淚水。

瑪蒂注視著我，虹膜的顏色有如月光映雪，淺藍色淺到幾乎要和眼白融為一體。我想迴避目光——瑪蒂的目光老是令我心神不寧——卻又辦不到。沒錯，我覺得畸形兒很可怕。以前待在爸媽工作的實驗室，我總是離他們遠遠的。他們的表情恍惚，彷彿住在一個正常人看不見的世界。人們甚至盛傳他們有陰陽眼。

不過此時此刻，瑪蒂的視線駐留人間。她看我，我看她。我看得出來她很痛苦，很害怕。「我們其實沒什麼不同，對吧？」我低語道。

瑪蒂闔了好一會兒眼，然後回望母親。紫羅蘭輕輕扣上女兒的洋裝。「我真想把那個女人殺了。」她說。

「她以前打過瑪蒂嗎？」我問道。

「出手沒這麼狠，沒這麼重過。」紫羅蘭說。

「天冷，至少讓我回去拿幾條毯子吧。」我說。

紫羅蘭搖搖頭。「傑拉德會過來。」

事實證明她是對的。沒過幾分鐘，我們就看見一個朦朧的身影笨重地在野草間穿行，向我們走來。他的上臂笨拙地裹了層紗布。他帶了毛毯、紗布，和裝滿液體的瓶瓶罐罐，那些瓶子看起來像是沃恩地下室的道具。「匆匆忙忙的，只能有什麼就抓什麼。她現在怎麼樣了？有沒有哪裡摔斷了？」他對紫羅蘭說。

他倆竊竊私語，夾在兩人中間的瑪蒂被提燈的燈火照得發亮。她用單邊顫抖的手肘撐起身體，傑拉德正扒開她的眼瞼，幫她檢查瞳孔。

我避開光亮，一面當個旁觀者，一面為蓋布利歐發愁，畢竟我拋下他獨自待在煙霧繚繞、充斥耀眼燈火和樂聲的異地。如今得知姨娘是多麼危險的人物，我一定得去找他，一定得把我倆弄出這裡。

我在不知不覺中起身行走。

傑拉德問：「妳要去哪裡？」

紫羅蘭說：「給我回來。妳瘋了嗎？」

然而，他們的嗓音太小、太虛無縹緲，攔不了我。以前我真傻，以為只要照姨娘的遊戲規則走，就有逃跑的一線生機；一如我照著沃恩的規則走，設法擺脫我跟林登的假面婚姻。但我怎麼也料不到荼毒這兩個靈魂的惡魔有如此可怕：沃恩蒐集的那些屍體。姨娘朝瑪蒂致命出擊時，眼底散發的癲狂喜悅。

如今我如夢初醒。

這裡沒有規則，是個適者生存的世界。

我拔腿狂奔，聽見有人在我背後的野草間快跑。

「慢著。」這低語急躁憤怒。「慢著。」

「慢著！」

一條胳臂扣住我的腰，將我從地面抱起。

「我不能留他在那裡，你不懂啦！」我喊道。

我掙扎著想要擺脫傑拉德的束縛，無奈他的胳臂如鋼鐵般厚實。我揚起手肘，設法往他被槍擊的傷口用力一戳。他爆粗口，把我放下；我腳一著地又馬上飛奔。但他緊抓我紗麗的披巾，把我往回拽，教我掙脫不了。

「給我聽好了，妳想救那個男孩是吧？假如妳現在被姨娘抓到，就再也幫不了他，再也逃不出去了。」他咆哮道。

我氣炸了，憤憤不平地從他手中拽回紗麗，但是心裡明白他說得對。

「你是不是知情？知道她打算把我賣掉？」我說。

「她是怎麼做生意的我不管。我只知道：如果她找到妳，就不會再讓妳有逃跑的機會。她覺得妳身上有某些特質能讓她賺大錢。」

「她是怎麼想的我不在乎。反正我非得把他弄走就對了，她有本事就阻止我吧。」我說。

怒火旺到我能感覺它在我血液裡沸騰。我知道自己不講理。我知道怒火無法使我變成一個更堅強、更好的人。我知道自己進退兩難，還把蓋布利歐也給拖下水。但到了這個節骨眼，我只能背水一戰。

紫羅蘭在我背後的某處呼喚傑拉德，說出事了，說瑪蒂正在咳血。她亂了方寸，要他回去幫忙，別再為我操心。她講得有道理，他也心裡有數。

「別做傻事。」他對我說。然而，唯一的傻事就是明知大難臨頭卻坐以待斃。

傑拉德走他的陽關道，我過我的獨木橋。

蓋布利歐在綠帳篷內半睡半醒，他的雙眸狂亂綻藍。一見著我就努力恢復意識。「他們給我打了一針，說什麼『我的死期到了』，馬兒全都變得模糊不清。」他含糊地說。

這一切姨娘肯定都計畫好了。先把蓋布利歐迷昏，這樣他就救不了我，而她也能把我賣給出價最高的買主。

我跪在門口。彷彿由姨娘召喚的狂風在我背後哭號。我很篤定她正朝我們快馬加鞭而來，然後一切就玩完了。雖然不曉得會怎麼結束，但肯定沒戲唱了。

「我們要離開這裡。」我邊說邊向他伸手。

他勉強起身說：「動作快，沒時間了。」

狂風在呼嘯。

不，不是風聲。

是眾家姑娘，姨娘旗下的姑娘在尖叫。

第七章

我聽見有人奔向我。我只記得那麼多。我轉身只見散亂著一頭白髮的姨娘——在每盞提燈的照耀下，幾撮髮絲成了金色。她高舉胳臂。我心想：**一把刀**。她要拿刀刺穿我的心窩。馬上就要結束了。

不過，她手裡閃爍的玩意兒很小，不可能是利刃。輕薄鍍銀。我始終沒搞清楚那是什麼，直到她拿它往我肩膀上扎。

針筒。這個名詞映入我的眼簾，但隨之而來的黑暗一如海浪將它淹沒。

這時，我恢復知覺。感到脈搏。聽見呼吸聲。有人在喃喃低語。

好像有什麼東西拂過我的手，我可以感覺自己的身子漸漸存在，唯獨眼睛還是張不太開。現在還張不開。「結束了，她死了。」有人說。那是陰沉的男中音，是傑拉德。

他們說的是我嗎？也許我死了。也許針筒裡注滿毒液，如今我的靈魂被困在自己的屍體裡。他們把我送進焚化爐的話，我會不會感覺自己被火化？

「我死也要見屍，或許她身上那件洋裝還能留著用。」姨娘說。

「姨娘，我把她……那傢伙……送進焚化爐了。紫羅蘭很難過。」

「呸！這是她自己的錯。」她自己的臭。「那個沒用的女嬰一出生，就該讓我把她淹死。」姨娘說。

不，他們說的不是我。我仍能感覺自己的心跳；但是，當我意識到怎麼回事的時候，心不免往下一沉。姨娘跟傑拉德談的是瑪蒂。瑪蒂死了，火化了。

不過話鋒說轉就轉。如今姨娘對傑拉德的槍傷更感興趣，直嚷著傷口可能遭到染感，到時候她可付不起醫藥費。

「哪個傻丫頭到哪裡去啦？療傷她最有一套了。」姨娘問道。

「給她點時間哀悼吧。」傑拉德說。

「胡說八道……」

人聲逐漸退卻。我感覺自己悄然入睡。

當我再次醒來，已能曲指成拳。夢中我緊握著什麼重要的東西，甦醒時卻想不起來那是什麼，只感覺抓不到東西的空虛。

我可以睜開眼了，眼前一片黃。應該是金鳳花吧。有一年在我媽的花園裡金鳳花抽芽了，成了我們意想不到的驚喜。媽媽一直拿種籽和肥料做實驗。「妳看。」她蹲下來對我說。當年我還小，小到可以假裝自己在那座花園迷路；然而，媽媽去世之後，花園似乎就沒那麼浩瀚無垠了。豔陽吻上我赤裸的肩膀，我把手指伸進冰冷的泥土找蟲子。我喜歡拎著小蟲，喜歡牠們在我指間伸縮米黃與粉紅相間的身體。

「金鳳花。」我媽說。奶油般、橡皮般的小花從土壤中冒出。

我哥在附近拿著棍子當劍揮舞，時而閃躲時而朝著空氣刺。「這些只是野草罷了。」他說。

我聽見風聲。黃色在我周遭波動，我絕望地發現自己身在姨娘的其中一座帳篷。

我沒多大力氣抬頭；雖然視線朦朧，我仍能感覺有人在身旁呼吸，有隻手輕拂我的手。有人輕喚我的名字。嗓音疲憊驚恐。

蓋布利歐。我試著答腔，嘴唇卻動不了。

「閉眼睛，有人來了。」他低聲說。

我照辦了，但那一片黃依舊映在眼瞼內。有人掀起帳篷入口，捎來一陣冷風。不過我沒因此發抖，只感到幾分疏離的寒意。

「她不能這樣囚禁他們。你看看。這樣他們會活不了的。」是紫羅蘭的聲音。

「她今晚就想把男的給做掉。又有買家要來看這丫頭了。」傑拉德輕聲細語，聽起來反倒更險惡陰沉。

我努力聚精會神聽他們說話。我知道事關緊要，問題是腦袋不願合作。我時而昏迷，時而清醒。

我設法動動手指，輕拂蓋布利歐的手。他比我更能掌控身體。他抓起我的手，握得緊緊的。

將要有慘事降臨在我倆身上。我該怎麼阻止呢？我連他的手都握不牢了。

這回我被粗暴地喚醒。手腕被向上拽，我猛一睜開雙眼，腦袋用力往後一顛，我以為脖子都要被扭斷了。「起來、起來、起來！」有人這麼說。我左搖右晃。雖然站起身，卻站不穩。我整個人往前跌，有人又把我向後拉。

「什麼？」我想發問，可是出口的話大概沒人聽得懂。

我被推到帳篷外。外面烏漆抹黑，嘉年華的燈火沒了，摩天輪沒了，音樂也沒了。

有手在推我，有人喊著：「走啊！」問題是我走不動嘛。我的腿軟綿綿的，失去知覺，胃又在翻攪，果不其然，下口氣還沒呼上來我就吐了。

有人咒罵，低聲埋怨。有人沒等我咳完就把我往肩上一扛，開始奔跑。我知道這不是蓋布利歐，他絕不會對我這麼粗暴。

我聽見周圍傳來狂亂的私語，人們奔向四面八方，赤腳在泥地重踏。我緊閉雙眼，努力讓胃平靜下來。我能做的只有這個。嘉年華結束了。孱弱的姑娘嚇得奔逃。瑪蒂死了，她那小小的軀體已化為飛灰。世界全然失序走樣。

然後，突然間，扛我的人止步，將我放下，撐著我的胳肢窩，不讓我癱倒。

在一片漆黑中我能看見的很有限，但這雙肩寬闊的輪廓我絕不會認錯。他的一條胳臂還裹著紗布。傑拉德。

「妳幹了什麼好事？把什麼玩意兒帶來這裡了？」他嗓音低沉、轟隆隆的。

「我不……」我用手掌根抵著額頭，試著辨別東西南北。「我不知道你在說什麼。」

「有人在找妳，姨娘下熄燈令。她覺得有間諜想闖進來，為了找妳，要把大家都給殺光。」他說。

「姨娘瘋了。」我說。我連眨好幾次眼，努力恢復感知。天上的繁星全以不真實的亮光悸動，然後漸漸沉澱。我腳下的土地開始傾斜。

「這次沒瘋。」傑拉德說。他扶我起來，指尖插進我的皮膚。「門口有個男的來找妳。」

醒一醒！我對自己喊話。無論注入我靜脈的是什麼鎮靜劑，都是拿我心智做為人質的元凶。

「是誰？」我說。我嘴裡有股可怕的銅味。

「一位戶長，說妳是他的人。」傑拉德說。

我先將這番話在腦裡反覆咀嚼了幾次，它們才產生意義，然後我的血液降溫。不可能的！沃恩戶長怎麼會跟到這裡？沒錯，我的公公雖將瘋狂科學家的角色扮演得恰如其分，但他所管轄的範疇僅止於官邸大門。

我恢復足夠的感知，掙脫傑拉德的束縛。可是我依舊頭昏腦脹，胃也旋攪不休。有蟲子在我身邊嗡嗡響、唧唧叫。乾草拂掠我赤裸的腿。「他人在哪裡？」我問道。

我不知目前的所在位置，但聽得見焚化爐的聲響，這表示我們離摩天輪跟帳篷很遠了。周遭傳來竊竊私語和窸窣作響。要嘛是我產生幻覺，要嘛就是大家都躲起來了。

傑拉德望著我，而我只能看見他的眼白。

少了燈火又從遠方遙望，月光下的嘉年華好似林登未完成的畫作，全是線條、樑桁和邊角。我宛如失足跌落他素描簿的虛幻世界。

「姨娘叫我先把妳藏起來，等他開理想的價錢再說。」

她或許是個瘋婆子，但不管怎樣都生意至上。

周遭的耳語變得嘈雜。野草長到比我還高，彎到我面前，纏住我的四肢和喉嚨。我眨眨眼，一切又風平浪靜。

「他說謊，無論他說什麼，都是謊話。我不認識什麼戶長，也不屬於任何人。」我說。

「是嗎？」傑拉德說。他交疊雙臂，他的影子成了雙倍大，然後又縮回原形。「他對妳的了解似乎很多喲。萊茵。」

我的名字，他知道我叫什麼了。周遭的呢喃也開始異口同聲，輕柔複述。

接著，又有人在廢棄的嘉年華彼端尖聲呼喚我的名字。是姨娘。我朝聲音的方向猛一轉身，但傑拉德無動於衷。我聽見腳步聲向這頭走來，卻不見任何身影從暗處冒出。

這是妳的幻覺，我對自己說。一定是注入靜脈的藥劑在搞鬼。或是冷空氣依然捎來的煙霧在作怪。

傑拉德高舉一張大網用來困住我。但他一往我肩上套，我才發現那是他的外套。一個輕柔的人聲問道：「那是妳的真名嗎？萊茵？」紫羅蘭從長草中起身。她是不是一直躲在這座低聲呢喃的草原？

我沒答腔。

紫羅蘭抓住我的手。她有雙好冷的纖纖小手。她用拇指滑過我的婚戒，對我說：「結婚真有這麼糟嗎？比這裡還糟？」

這個問題問得好，此刻我的思緒如此朦朧，只能誠實以對。「沒有，沒比這裡糟。」我有張舒適的床，有疼我的丈夫，有姊妹妻排解寂寞，又或者多半是與我分享寂寞。或許我應該放棄，最後一次穿過這破爛的嘉年華，把自己交到沃恩手上，在回家的長途車程恢復清醒。

家。野草輕聲複述這個字。家。

我的家不在官邸。我與姊妹妻居住的舒適樓層下，蟄伏著更黑暗的事物。我想起蘿絲了無生氣的手從床單下滑落，珍娜在我眼前只剩一口氣，以及蘿絲和林登死去的孩子。所有的痛苦與毀滅全都可以怪在同一人身上。而事實上，那個男的也已追到這裡來了。

「我不能回去那裡。」我說。我感覺自己正在恢復意識。「妳不像我那麼了解他。那個男人就算不把我宰了，也會做出更慘無人道的事，他做過更喪盡天良的事。」我嗓音突然變得激動。「蓋布利歐人呢？我們非走不可了。」我也不想當著別人的面叫他的名字，但現在也無所謂了吧？反正一切都變調了。

紫羅蘭和傑拉德有所遲疑，倆倆相望。

「別這樣。」傑拉德對她說，語氣輕柔到近乎無聲。

「你們在保護誰？」我厲聲斥責。「姨娘嗎？為什麼？」我望著紫羅蘭。「她是個怪物。她殺了妳的女兒欸！」

「噓！」紫羅蘭邊說邊抓起我的胳臂。

她開始把我帶開，但傑拉德叫住她。「這個女的只為我們帶來麻煩。把她交出去算了。」

「你明知我做不到。」紫羅蘭說。她拖著我的手臂，「走吧。」

我不確定背後憤怒的私語究竟是傑拉德還是我哥說的：

妳的弱點在於太感情用事了。

第八章

這片草原似乎連綿無止境。好久之後我才發現其實我們只是沿著姨娘的嘉年華繞，並未真正遠離。紫羅蘭抓著我的手腕帶路。野草以失傳的語言傾訴祕密，不斷抓扒我的腳後跟。

「她給我注射什麼？」我問道。我努力壓低音量，無奈嗓音還是引起震搖泥土地的回音。紫羅蘭似乎沒有注意。「我怎麼會變成這樣？」世界感覺像個將要爆炸的大泡泡，向前濺灑蜜蜂和文字。我躡手躡腳地行走，免得驚擾到它，在此同時也知道我的感知能力出了大問題。

抬頭可見雲朵在陰沉的天際盤繞翻攪，遮蔽了星辰。雷聲咆哮我的名字，對我示警。

「天使之血混合鎮靜劑，好讓妳昏睡。妳拳打腳踢，教她難以招架呢，差點把她的眼珠都給挖出來了。」

「是嗎？」我全都不記得了。但話說回來，林登說我在颶風過後做的那些惡夢我也毫無印象。失去記憶大概是用藥唯一的好處。

紫羅蘭笑著說：「要不是女王殿下覺得妳能為她賺大錢，說不定當下就把妳給宰了。」

「她說我的髮色跟她女兒一樣。」我說。我說話的同時，草原的人聲似乎沒那麼大了；我開始感到更清醒了，前提是我要能繼續講話，繼續行動，就連往哪裡走我都不在乎了。

「妳認識姨娘的女兒嗎？」

「不認識。我來之前她就走了，不過傑拉德認識。他從小在這裡長大的。」紫羅蘭說。

「她說他們被人殺害了。」

紫蘿蘭語帶嫌惡地說：「她的愛人，是什麼受人景仰的醫生來著。他跟他們的女兒在某次擁戴自然主義的抗議中被人殺害。傑拉德說那件事從此讓她一蹶不振。」

我沒告訴她，我的爸媽也是這樣慘死的——擁戴自然主義者反對科學派治療新生兒病毒的研究。

「我可以想像那有多悲痛。」紫羅蘭凝重地說。

她可以想像？她能做的不只是想像吧。瑪蒂不在了，傑拉德說的，屍體都送去火化了。

直到此刻我才知道什麼叫作幻覺，我們一停下腳步，草叢便分成兩邊，只見瑪蒂超現實的雙眸仰望著我。

紫羅蘭跪在女兒身邊，輕輕扶她躺臥，輕聲細語地哄她。

這不是真的。是天使之血在捉弄我。

天這麼黑，我只能看出有個人影在瑪蒂身旁移動。我的思緒在此時此刻並不可靠，一直認不得那人是誰，直到他起身站在我面前。

我感覺他與我十指交扣、握得很牢。「蓋布利歐。」我說出他名字時的語氣，跟我的呼吸一樣緊迫。我不斷複述，直到他把我摟在胸口，我雙腿一軟。

「對不起，真對不起。」我對著他的脖子低語，感覺他皮膚散發的熱氣。

「我該好好保護妳的。」他說。他嗓音沙啞，使我想起我在自己的地獄煎熬時，他也在他的囹圄受苦。

「不是的。」我搖著頭，雙手緊抓他的襯衫。他身上穿的這件破爛襯衫我沒印象。可能是紫羅蘭在藏匿他、躲避姨娘目光時，隨便塞給他的吧。

天哪！我整個人頹倒在他身上。

「我幾乎不能動，我聽見妳在夢裡呼叫。聽見妳在抵抗那個女人，但就是阻止不了她。」他說。

紫羅蘭用氣音嚴厲地說：「此刻談情說愛真是浪漫，但請你們趴下，不然會害大家被抓。」

瑪蒂可憐兮兮地啜泣，紫蘿蘭親吻她的臉安撫道：「寶貝，我知道。」

還有別人跪臥草叢，好像是稍早照料蓋布利歐的那個金髮小女孩。她正在跟紫羅蘭說話：「她的手臂肯定斷了。我已經盡力替她接合，但她還是高燒不退。這種天氣只會讓她的病情惡化。」她還說了別的什麼，像是「肺炎」，還有「感染」，紫羅蘭則保持鎮定，就像我面不改色，眼睜睜看著珍娜受苦，心裡明白自己幫不上忙。

「我以為瑪蒂死了。」我說悄悄說，只讓蓋布利歐聽見。

「他們把她藏起來了，大家全都躲躲藏藏。姨娘把每個人都嚇得逃命去了。」蓋布利歐對我說。

「都是沃恩害的，他來這裡找我了。」我說。

我沒聽見蓋布利歐對此的反應，因為嘉年華的燈火驟然亮起，傑拉德扯開嗓門，要紫羅蘭出來，說不會有事的，姨娘不想傷害她，不想傷害任何人。出來吧，眾家姑娘，快出來吧。

紫羅蘭在草叢裡臥倒，打手勢要我們照做。燈火離我們仍有一段距離，但我在絕望中察覺即使感覺像是走了幾哩，我們還是甩不掉嘉年華，那道鐵網籬笆將我們圍困其中。

其他女孩愁眉苦臉地現身。

「警報是烏龍一場！這裡沒有間諜，只有個男的要跟我談生意。不過要等一切穩定下來才有事做。快去把自己打扮打扮。動作快！動作快！」姨娘高喊。

她拍手吆喝，結果變成下一波轟隆響的雷鳴。「動作快！動作快！」

蓋布利歐半掩著我。我可以聽見他顫抖的氣息，可以感覺他下巴粗糙的鬍渣抵著我臉。他的胳臂緊摟著我。

我的雙手被壓在身子底下，緊握成拳。我屏息以待。沃恩來了，我彷彿可以感覺到他。感覺他的腳步向我逼近，步伐聲好似他在地下室的走廊般餘音繚繞。

我不能讓他把我抓走。當林登的新娘，起碼我還有點作用。使丈夫保持忙碌、充滿活力，別陷在痛失愛妻蘿絲的傷痛中。可是如果我現在回去，林登肯定會對我不理不睬，這樣一來沃恩就能為所欲為了。給我打鎮靜劑、把我殺了、將我大卸八塊、挖掉我一藍一褐的眼珠，在顯微鏡下研究。

我在無意間抽抽答答地哭了。

我們離燈火夠遠，在陰影下暫避不是問題；但光源充足，我能看見紫羅蘭正在凝視我。傑拉德在呼喚她的名字和我的假名金花，要我們出來。她搖搖頭。

傑德拉又開口了，但他壓低音量，我只能費力聆聽。他大概在對姨娘說話。「……不曉得他們會躲到哪裡，不遠就是了。每扇門都上鎖了。」

「……還真是脫逃專家……」姨娘不帶口音地說。她真正的嗓音粗糙沙啞，聽起來像刻意營造的醜惡。儘管如此，我卻擺脫不了她曾經美麗或甚至仁慈的形象。

我告訴自己：那些也不重要了。

接下來的人聲和藹溫厚，帶有一絲笑意。「親愛的？沒理由要躲啊。快出來吧。」沃恩。一聽到他的聲音我就心慌意亂，他接下來說的好幾句話我都漏聽了，只從這裡接著聽：「……林登很擔心你，西西莉都愁出病了。」我緊閉雙眼，希望回到幾分鐘前的精神錯亂，那時候的話即使穿過耳朵也不具意義。但林登和西西莉這兩個名字我就是揮之不去。我那鬱鬱寡歡的丈夫；我那逐漸凋零的小姊妹妻，總是試著安撫她懷裡哭鬧不休的嬰孩。

這是場騙局，就算我回官邸好了，也不可能跟他們團圓。沃恩肯定不會讓任何人再聽到關於我的消息。

我動不了，大概連呼吸都成問題。我從沒感到如此恐懼。從來沒有。即使在那輛廂型車上，即使聽到槍響，我也沒這麼怕過。

沃恩向我喊話：「親愛的，出來吧。萊茵，現實一點吧。妳無處可去了。我們都是妳的家人。」

家人。不。我跟我的姊妹妻不同，也跟這裡的女孩和流落街頭、無家可歸的遊民不同，我懂什麼叫做家人。

傑拉德說：「那是他們嗎？」

草叢中的腳步狂奔衝向我。我為之退縮，但傑拉德深色的沉重身形跑過我身邊，再一個箭步敏捷地躍過瑪蒂和紫羅蘭，然後繼續前行。但在此之前，他扔下什麼東西。我聽見它砰然落地，紫羅蘭將它一把抓起，塞進包包。

傑拉德將姨娘和沃恩帶離我們。我還沒時間消化這一切，紫羅蘭就爬向我，把我跟蓋布利歐推往另一方向。我只能從她的嘴型判讀「快走」這兩個字。

於是我們出發了，盡可能迅速安靜地逃，我跟蓋布利歐得彎著腰跑步，不免失足跌在彼此身上。風勢強勁，跟我們的行動一樣驚擾長草。

紫羅蘭背著瑪蒂，跟在我們後頭。

沃恩、姨娘和傑拉德呼喚著我，唯獨叫我一人，我的名字好似雨水落滿地。沃恩現在改變戰術，說什麼西西莉的寶寶病了，說不定快要活不成了。林登日益消瘦，不肯踏出房門一步。

「這不是真的，不是真的，不是真的。」我一面狂奔，一面低語。

紫羅蘭要我安靜：「噓。」

一聲吱嘎巨響，電力再度中斷。姨娘開始對傑拉德發飆，後者說：「一定是強風把其中一部發電機吹壞了。」

少了嘉年華的音樂，少了五光十色的燈火，少了咯咯傻笑的女孩，少了這一切，這個鬼地方就變形，加倍恐怖。

接著嗖地一聲，啪嗒一下，我撞上東西了。我伸手去摸，手指拂掠鐵絲環。是籬笆，蓋布利歐也在摸它，或許正盤算著能不能爬。

「有通電，通常會聽見它嗡嗡響，但現在停電了。」紫羅蘭上氣不接下氣，輕聲提醒。

「我們有多少時間？」蓋布利歐問道。

紫羅蘭說：「不多。假如傑拉德不快點把它修好，顧人怨的女王殿下就會發現有人作怪。」

我已經開始攀爬，回頭看蓋布利歐是否需要協助。但他跟上腳步簡直易如反掌，而且還比我更快攀到籬笆頂端。

紫羅蘭緊跟在後，為了確保背上的瑪蒂不致摔落，動作自然較緩。

籬笆不算高。蓋布利歐拉我一把，助我翻到另一頭。然後我倆再幫力不從心的紫羅蘭，因為瑪蒂有條胳臂斷了，沒辦法抓牢母親。

「等等，這樣比較快。」蓋布利歐邊說邊抓住瑪蒂，豈料後者開始啜泣並叫嚷。紫羅蘭試著安撫她，怎知啜泣轉為嗚咽，眼看這樣她接下來一定會放聲尖叫。我跟著蓋布利歐，在離地面幾呎的距離往下跳。瑪蒂在他懷裡，即使天黑看不見，我卻能聞到她淚水的鹽味。

紫羅蘭剛翻過籬笆，她的女兒就開始尖叫。

第九章

尖叫聲宛如警報，使整座嘉年華再次陷入恐慌。我聽見風中傳來吶喊，有人說「往那裡！」和「那邊！」。

我用手摀住瑪蒂的嘴。她咬我一口，抵著我的手尖叫，但我管不了那麼多了。我火冒三丈，甚至感覺不到她的牙齒刺進我的手，也不管她到底有多氣我。

我把她從蓋布利歐懷裡抱走，繼續摀住她尖叫的嘴，在光源重新趕上我們前，能跑多遠是多遠。籬笆通電了，嗡嗡作響。我們蜷伏在蒼茫廣袤，一望無際的長草中。我可以看見紫羅蘭在遠處的小小身形，被導電的籬笆電得打顫。我以為要眼睜睜看著她斷氣，沒想到她竟從籬笆上彈開，即使颳著強風，我也能聽見她砰一聲落在我們這邊的地面。就連瑪蒂也靜了下來，默默凝望。

紫羅蘭微動一下，試著爬起來。她用盡最後一絲力氣，把掛在肩頭的包包扔過來。包包落在蓋布利歐的腳踝邊，他不假思索地一把抓起。

提燈宛若螢火蟲向她蜂擁而至。傑拉德吶喊她的名字，但不帶惡意，而是出於擔心。她用一邊手肘撐起身子，直視著我——目光穿過遼闊的草原，與我的雙眸交鋒。

然後她轉頭面向傑拉德，後者站在籬笆的彼端，問她有沒有哪裡摔傷了。

「他們逃走了。」我聽見她這麼說。

姨娘趕到籬笆前，直接在嗡嗚作響的致命鐵網前止步，還咯咯笑。「傻丫頭。」她說。

接著沃恩也趕來了，這位高個子從容不迫，他那文質彬彬的兒子變老時大概就是這模樣。但我覺得沃恩跟姨娘的不同之處在於：他從沒心懷好意過。

一時之間，他們全都忙著要把紫羅蘭弄進籬笆。紫羅蘭沒有回頭。

瑪蒂陷入沉默，但我還是摀著她的嘴，免得她又開始放聲痛哭。但哭也怪不得她吧？我用另一隻手摸她額頭，試著把她的頭髮往後撥，以一些細微的動作安撫她；但我唯一的印象是她燒得厲害，以及一月的寒風有多凜冽。倘若不把她帶到溫暖的地方，她的病情將會急速惡化。

蓋布利歐大概也是這麼想的，因為他靠了過來，把直打哆嗦的瑪蒂夾在我跟他身體中間。

「再忍一下。」我輕聲說。

彷彿一切都要等到天荒地老才有進展。傑拉德再次斷電，然後翻過籬笆救回紫羅蘭，把她帶回姨娘身邊。只聽到姨娘的笑聲好似呱呱叫不停的青蛙。他們全都在交談，只是嗓門不大，我聽不見。

最後紫羅蘭、傑拉德、姨娘和沃恩走回嘉年華，燈火重現光明，樂聲再次奏起。從此處遙望，那個地方近乎誘人。

蓋布利歐說：「再不找個地方取暖，她就要死了，我們也活不下去了。」

我幾乎感覺不到寒意，心緒也不如我所期盼的那麼敏銳，天使之血這詭異的麻藥依舊在我體內流竄。我如小動物般輕聲告訴瑪蒂我不摀她嘴了，她要勇敢也要保持沉默。我還向她保證，等晚一點她想怎麼尖叫都無所謂。

她聽懂了。又或者是虛弱到無法抗議。總之我鬆手時，她沒吭一聲。蓋布利歐將她輕輕抱起，於是我們便在這片漫無邊際的長草間展開一場逃亡。

我們脫離險境的同時，我再次將逃脫太過順利的想法拋諸腦後。

招牌上寫著：神機妙算，一回一元，以物易物也可。

幾乎每個字都拼錯，且錯得離譜。

夜色漸漸降臨，天空變灰，又轉為褐色和粉色，星辰相互移轉。世界在晨光下成形，我如行屍走肉般移動著。我幻想點點繁星是狄德麗毛線衣的珍珠與鑽石，渴望感受它熟悉的針織溫暖。但毛線衣再也要不回來了；我只能穿這走起路來便害人跌跤的黃色爛紗麗。蓋布利歐幫我扯掉肩巾，這樣就能拿它當作臨時的毯子，裹在瑪蒂的外套上。也算是多少幫她取暖。

紫羅蘭在被抓前扔給我們的包包裡其實沒裝多少東西。裡面有傑拉德轉移姨娘焦點時拋下的靴子和外套。外套對瑪蒂來說太大了，但我把它當毛毯裹著她，她的牙齒因而不再打顫。還有一本舊童書、一塊包著濕軟草莓被草莓汁滲過的布、放太久的麵包、生鏽的熱水瓶，以及一根針筒和一個小玻璃瓶，裡頭裝了貌似不祥、透明帶米色的液體，我知道那是天使之血。喝水略有幫助，但我跟蓋布利歐身體不適，無法進食；倔強的瑪蒂也是一口食物都不願吃。

這時白雪宛若施了魔法的粉塵輕掠地面。我們在幾小時前就走到草原的盡頭，如今只見空蕩蕩的倉庫和只剩框架的樓房，這些建築的隔熱材料和內裡早被掏空。我說附近肯定是文明世界，因為看樣子這裡能偷的都被偷光了。蓋布利歐咕噥著說這個世界不可能文明到哪裡去。瑪蒂睡著了，她的呼吸不順。

但是最後證明我說中了，因為如今我們站在一棟小屋子前，白煙從煙囪裊裊升起。稱之為屋子是抬舉它了。它沒比蓋布利歐高多少，而且是用金屬和木板碎片東拼西湊蓋出來的。只有一面用磚頭砌的牆，那面牆搭了根煙囪，煙囪又比屋頂高一層。那是這棟屋子僅剩的一面牆。屋子沒有窗，甚至連窗框都找不著。

蓋布利歐換手抱瑪蒂。他抱了她整晚，雖然唉都不唉一聲，但他肯定累壞了。晨光照亮他的黑眼圈，他的虹膜也不像平時那般淡藍。途中我們得歇好幾回，因為我或他要麼為天使之血作嘔，要麼因體力不堪負荷而直不起腰。他貌似快要倒下了，而我看起來八成也好不到哪裡去。

我往門口靠近，那是一扇如假包換的門，不曉得他們是如何把門鏈焊到金屬板上的。我正準備敲門，蓋布利歐便厲聲低語：「妳瘋了嗎？要是他們想殺人滅口怎麼辦？」

「那就算我們倒楣。」我脫口而出，沒想到自己的口氣竟然這麼火爆。

他撫摸我的臂膀，像是要我往後退，但我不聽勸，猛一轉身面向他。「我們別無選擇了。我們又累又病，我也沒看見附近有什麼高級飯店。還是你看見了？」

臉頰貼在蓋布利歐肩上的瑪蒂睜開眼。她的瞳孔好小，平時疏離的目光蒙上一層怪誕的感覺。這是我頭一次看見她臉上留下哭過的淚痕。該不會在睡夢中哭整夜吧？

我跟蓋布利歐都惴惴不安了，她肯定更心驚膽顫。

「我們別無選擇。」我說。蓋布利歐張口想說些什麼，但我一轉身，在他吐出半個字前搶先敲門。

這時我才明白瑪蒂為什麼總是令我心神不寧。一見到她，那些在實驗室裡出生的孩童就映入我的眼簾。那些畸形的小傢伙勉強能活個幾小時或幾天，活幾星期就算了不起了，但他們終究還是逃不過死劫。她呆滯的雙眸剛好證實了這點。每當經過他們的病房時，我總是用跑的，目光迴避那些哀傷無望的生命；但即使那個瞬間過去了，我的腦袋還是瘋狂地嗡嗡響。

我敲門後，大門咯咯響，然後發出駭人的刮擦聲，開了一點縫。屋裡帶金屬味的暖意令我撐大鼻孔。蓋布利歐勾著我的胳臂，我可以觸碰到他的粗麻布襯衫。

站在門內的女人矮小又駝背。她戴的眼鏡髒到我幾乎無法從鏡片看到她的雙眼。她張著嘴，眼神冷淡，彷彿我們三個是她等待的郵件，而如今她正在檢查瑕疵。她打量著我——我扯裂的肩帶、滿是泥濘的紗麗下襬、凌亂的頭髮，對我說：「妳像個落難皇后。」

「有人講得比妳更難聽。」我說。

她面露微笑，但那是個心不在焉的笑容。這時她凝視瑪蒂——只見她像隻無尾熊寶寶緊抓蓋布利歐的臀部。

「妳的小孩？」女人問道。接著又補了一句：「不對，不是妳的。」

就算不是仙姑也看得出來。瑪蒂遺傳了紫羅蘭黝黑的膚色，只是沒那麼黑，又承襲了她烏黑亮麗的頭髮。

「她的胳臂斷了。」我說。好像這樣就能解釋她為何會出現。

「進來，進來。」女人說。但在此之前，她不忘審視姨娘為我戴在脖子上的首飾。我們跟隨她進門的同時——我帶頭，蓋布利歐依舊抓著我，緊跟在後——我用右手蓋著握拳的左手，遮住我的婚戒。

進了室內，小小的屋子熱到不可思議，金屬牆壁反照火光，我們宛如置身烤箱。屋裡到處堆滿東西。物品的擺放方式毫無道理可言——生鏽的提燈垂著藍色的串珠、粉紅色的塑膠自由女神像、龍造型的一枚玉、壁爐上掛著鹿頭標本、貼滿貼紙又少了頂層抽屜的梳妝台。

我猜她幫客人算命，得到的報酬是以物易物多於金錢。

泥地鋪著不相配的瓷磚——亞麻仁油地氈、石塊和東拼西湊的地毯。角落有個睡袋和被沙發座墊圍繞的咖啡桌。

暖意使瑪蒂恢復生氣。她的臉頰紅潤，瞳孔放大，下唇外翻，露出她對姨娘表現的桀驁不馴。

我直視她，與瑪蒂異於常人的眼睛四目相交。我希望既然我們都有特異的共通點，或許能夠心電感應。**現在別做任何傻事**，我透過目光傳遞訊息，但不曉得她是否接收到了。

自稱安娜貝爾的女人沒問我們姓啥名誰，直接邀我們往座墊坐。儘管柴火已暖得不像話，她還是為我們遞上毛毯，檢查姨娘的嘉年華金髮女孩為瑪蒂胳臂做的臨時夾板。雖然是用小樹枝和紗布做的，整體而言也固定得挺牢的。

瑪蒂好瘦小，躺在座墊時，雙腳只能勉強碰到它的邊緣。她眼神飄忽不定，掃視屋內的一切；火光舐食著牆壁和天花板。要她停止到處觀察大概比登天還難。她的思緒是困在頭蓋骨裡的一隻小鳥，不停撲動翅膀卻從未掙脫牢籠。

我從紫羅蘭的包包裡取出一顆草莓遞給她。我得將草莓拿到她面前晃才能得到她的注意，無奈她只是噘起嘴唇，像是草莓有毒似的對我咆哮。「妳得吃點什麼。」我說。跟她講話的感覺說來荒謬。她瞪我的眼神使我想起手被她使勁一咬，發疼瘀青。但她終究還是接受草莓了。

「這麼冷還有水果吃？」安娜貝爾問道。她用兩個拳頭揉去鏡片上的塵垢，展露她陰鬱的綠眼。她是第一代，但是嗓音輕柔、年輕。她家帶了一股燒焦的甜味。我過了一下才認得這個氣味。薰香，不像姨娘嘉年華上的那般難耐，而是香香甜甜的，類似官邸妻妾樓走廊燒的香氣。

我莫名感到鄉愁。

蓋布利歐說：「品質不太好。」

「其實都快爛了。」我說。話雖這麼說，瑪蒂仍吞下我餵她的下一顆草莓。

安娜貝爾跪在瑪蒂的座墊旁，捲曲的白髮映滿火光。瑪蒂對她咆哮，牙齒染著粉紅的汁液。

「我沒治斷手的藥，但倒是有退燒藥，只要妳不介意我從妳手中拿走這些草莓。妳自己說它們都爛掉了。」安娜貝爾說。

「拿去吧。」我來不及插嘴，被蓋布利歐搶先一步。我忿忿不平地瞪他一眼，卻只見他緊盯臉頰紅潤的瑪蒂。

我小心翼翼地交出草莓，免得讓久放的麵包跟著露餡。天曉得我們何時才能再找到吃的。

我們眼睜睜看安娜貝爾吃掉每顆稀巴爛的草莓。她一次塞好幾顆，然後吸吮布上的汁液，最後連手指殘餘的果汁也不放過。整個過程似乎無限漫長。

「啊！」她呻吟著往後倒坐。「真過癮。今年冬天除了脫水食品，幾乎啥也沒吃到。」不過她沒問草莓的來源，這樣也算是一種體貼。

她爬到梳妝台前，在其中一個抽屜裡翻找，最後取出一個裝白色藥丸的玻璃罐。通常我要再三考慮才會從素昧平生的陌生人手中接受藥物，尤其在經歷姨娘強行餵藥的經歷後更是如此；但她把藥罐往前湊時，我認出藥丸橢圓的造型，以及每顆上頭印的字母A。阿斯匹靈。我跟哥哥在家裡也留了同樣的止痛藥。只要你有錢，不難弄到手。

安娜貝爾對不太新鮮的水果心懷感激，除了給瑪蒂一回份量的阿斯匹靈，甚至讓出一席之地給我們睡覺。「只能睡到中午，然後我就有客人要上門了。」她又補了一句：「寶貝，這玩意兒真漂亮啊。」

她打量我的項鍊，上頭串著星星月亮造型的黃色珠子。我一聲不吭，將它取下遞給她。接著我往毛毯上一躺，背倚著蓋布利歐的胸膛。瑪蒂已在座墊上睡著了，所以我才能不費工夫地搭著她。我很淺眠，所以只要她或蓋布利歐離開，我一定會知道。

安娜貝爾沒理我們，只顧著一面哼歌，一面撥火，在咖啡桌上排塔羅牌。幾分鐘後她就走了，大概是去離她家有點距離的廁所方便了。

「我們不該同時睡覺，妳先睡。反正我清醒得不得了。」她一走，蓋布利歐就對我說。

我臉頰貼著他的手臂。在眼瞼下的幽深處，我可以看見他的雙臂環抱著我，盤呀繞的從頭到尾包覆我。既詭異又撫慰人心。我感覺自己漸漸昏睡。他怎麼有辦法保持清醒？

「輪流睡。」我表示同意。我的聲音彷彿有百萬哩之遙。我甚至不確定是我在說話，還是我夢到自己在說話。「你累了就移開，我會醒來守夜。」

他撥掉我臉上的幾綹髮絲，我可以感覺他在端詳我。「好。」他呢喃道。那根本不算個詞。只是我緊閉的雙眼下一道悸動的白光。

自從爸媽死後，我跟哥哥相依為命，便開始訓練自己一次只能熟睡一小時，下一個小時要保持警戒，好輪班守夜。可是我享受了好幾個月乾爽的亞麻布床單和羽絨枕，也習慣了姊妹妻在走廊彼端節奏規律的呼吸，我床邊滴答作響的時鐘，丈夫或姊妹妻悄悄上床與我同睡時，床墊的些微動靜。儘管我努力維持警覺性，睡意卻把我拉回溫暖的幽深處。

「晚安。」有個人聲說。

「林登，晚安。」萬物退卻，我呢喃道。

第十章

這裡沒有窗戶，所以蓋布利歐叫醒我時，我不曉得自己已經睡了多久。「我只要瞇一下，好嗎？妳累了就把我叫醒。」他低聲說。

這是我離開官邸之後精神最飽滿的時刻。只要沒做夢，我總是睡得最沉，也最能說醒就醒。

瑪蒂是醒著的，她側躺著面向我，斷掉的那條胳臂靠在臀部。她臉上光亮的汗水告訴我她正在退燒。映著火光，她過亮的雙眸顯得疲憊而靜謐。我和她倆倆相望，都在彼此臉上搜尋，彷彿這樣可以覓得什麼答案。

我這才想起自己剛領養了一個孩子，紫羅蘭因為一個失足墜地，失去了女兒和重獲自由的機會，並將這兩樣寶貴的東西交給兩位陌生人。我不曉得她為什麼要如此犧牲，只能猜要是姨娘發現瑪蒂，肯定會把她殺了；而紫羅蘭寧可看著自己的女兒消失，也不願眼睜睜看她喪命。

「我也失去媽媽了。」我說。我只能想到這句話跟瑪蒂說。

瑪蒂對我慢慢地、疲倦地眨眼，接著嘆了口氣，她的胸口膨脹，宛若一隻小鳥在嚥下最後一口氣前捍衛自己的版圖。她伸出那隻沒受傷的手摸我的項鍊。

我問她：「安娜貝爾呢？還在外面？」我其實不期待瑪蒂回答，但她的眼神猛一飄到門口，接著又轉回我的項鍊。

「她出門了？」我說。

她好像在點頭，又可能是甩開眼睛裡的頭髮。

幾分鐘後，安娜貝爾回來了，她兩手捧著滿滿的碎木板，大概是從附近樓房搜刮來的。先前我沒仔細研究這一區，不過大部分的房屋應該都已成廢墟。

「小睡片刻後，妳氣色看起來好多了。」安娜貝爾說。她跪在壁爐旁，開始把木板堆成三角形。

我坐起身，項鍊嗖的一聲抽離瑪蒂沒握緊的拳頭。我聽見有什麼東西在滴答作響，非得掃視這個凌亂的房間兩次，才終於發現牆上掛了一座金屬時鐘。十點了。

「謝謝妳收留我們，我們馬上就走。」我說。

一邊工作一邊用側臉對著我的安娜貝爾綻露笑顏。「回妳的破城堡嗎，皇后？」

「皇后應該都住王宮吧。」我說。

她笑了幾聲，笑聲在她門外的玻璃風鈴迴盪。

「妳的前世很了不起，也許是海妖或美人魚。」她說。

我把腰桿挺直坐好，雙腿在面前伸直，然後盤腿，身子往後倚，靠兩手撐著重量。我不信前世或神話動物這一套，但還是隨她高興。起碼有人的聲音填補沉默。「我一向喜歡親近水，不過我說的是這輩子。」

「我敢說有男人願意為妳溺水。」安娜貝爾說。然後她模仿我的語氣，補了一句：「不過我說的是這輩子。」她對蓋布利歐苦笑，我聽得出來她指的男人不是他。

我沒搭腔。成為撒謊高手的條件之一，是絕對不要讓擅常猜題者知道她剛好說中了。於是我看著她移動雙手，將細小的木板添進爐火中。她的手指教人看了目不暇給，白得嚇人又布滿雀斑，每根指關節都戴了銀的、黃銅的、紅銅的戒指。我給她的那條項鍊恰如其分地融合在她主題混亂的穿搭裡。我發現第一代都很戀物，我爸媽也是一個樣。他們收藏書籍和珠寶，睹物思情，生命就重拾朝氣。

我頓感一陣嫉妒。我沒辦法活那麼長，好跟任何事物建立情感連結。

安娜貝爾起身，撣去手上的灰塵，移到我桌子對面的座墊上坐。

她交疊雙手，傾身向前，「皇后，妳跟我說，想不想打聽什麼事？」

「打聽我的前世？」我說。

「那是我的專長。」她一邊說，一邊分開雙手，像是一群紛亂的驚鳥振翼。倒影使飛鳥的羽翼更為紛亂。「不過，我猜妳今生的事更為急迫。」

如今瑪蒂坐在我身邊，手指繞著我其中一條項鍊。塑膠發出隱約的碾磨聲，好似她不停翻轉的思緒。我猶豫一下，然後取下那條項鍊，瑪蒂也鬆手了。

我把它擱在桌上作為報酬。

安娜貝爾打手勢要我伸手給她，我照辦了。她用拇指戳我掌心，她戴的戒指好冰。只見她閉上眼，在座墊上坐得更愜意。

我可以看見她的眼珠在眼瞼下方咕嚕轉。這是表演的一部分。哥哥說算命是心理學的一種形式，我知道他說得沒錯。只不過，我心裡還是有一小部分——想家的、疲累的、怕死的那一部分，想要希望我當過皇后或海妖，我也曾經命中註定會做一番大事。而那份渴望正是安娜貝爾得到這麼多廉價首飾的原因。

但她啥也沒說，只是睜開眼又瞇眼觀察我，好像我刻意閃避她似的。「妳是什麼座的？」她問我。

「我什麼座？」我說。

「星座、星座。十二星座。」她指頭亂顫，彷彿答案昭然若揭。

「我怎麼知道？」我反問她。

「孩子，妳生日幾月幾號？」她追問下去。

這個問題令我心頭一怔。

時間在官邸凝結。回首過去這幾個月，光陰在彈指之間消逝。我在林登的幻境揮霍無度的同時，世界毫不停留地前進。時間不斷流逝。我的壽命也愈來愈短。其實我在內心深處始終明白。採花賊的大門砰然關上；林登把臉埋進我的脖子，聞我的味道；西西莉用力敲擊鋼琴的音符；珍娜舒出她臨終的最後一口氣。打從我展開逃亡生涯，大限之日就逐步進逼，而孿生哥哥和老家還是離得遙不可及，我只是一直迴避這項事實。吸了姨娘的鴉片，我渾渾噩噩地過了一段日子，甚至任自己暴露在恐懼與夢魘中。什麼都好，就是不想面對現實：沙漏的一端比另一端空得多。

「一月三十，剛過。過多久了？幾天了吧？肯定沒超過一星期。不過我很確定現在二月了。」我說。

「水瓶座，最捉摸不定的星座。」安娜貝爾說著說著，臉上泛起微笑。

這麼說來，我捉摸不定囉。我決定把它當作一種讚美。捉摸不定意味著難以抓到、難以約束。

「問我一個問題。」她說。

她的語調並不戲劇化，手邊也沒水晶球——我看過許多路邊的江湖術士拿水晶球為人占卜。她的這句話尋常到極點。

我努力想法子在不洩露答案的情況下提問。這也得運用一點心理學的原理。

「我想找人。」我說。

「這不是問題。」

「問題是：我想找的人在哪裡？」

她對我苦笑，並搓洗那疊塔羅牌。瑪蒂坐直身子，興致盎然地觀看，用她那條完好胳臂的手指在膝上劃圈。她的頭髮汗濕了，整個人顯得了無生氣。

「人在哪裡？人在哪裡？」安娜貝爾一邊咕噥，一邊把牌面朝下攤放，先掃到一起，再把牌攤開。等她把紙牌併成三疊，便問我：「哪一疊？」

我隨便指向我左邊那一疊。她將那疊推向我。「再選一疊。」她說。

我指向中間那疊。她又將它推向我。「每疊都取最上面那張。」她說，我照辦。「翻面。」她說，我照做。

我還沒看個仔細，牌就被攤在桌面。一張，又一張。

其中一張紙牌畫了個男人，另一張畫的是女人。兩人的穿著是皇室派頭，紅袍加身、頭戴皇冠。我讀了它們各別的插圖說明：

皇后。

皇帝。

我不由自主地起了雞皮疙瘩。安娜貝爾沾沾自喜地挑眉看我。「現在我懂妳為什麼要一直閃躲了，不只因為妳天性捉摸不定，也因為妳和另一半失散了。妳的皇帝。」

我用手撐著往後仰，維持一貫淡定的目光。「我不知道紙牌還有分性別，妳怎麼確定我是皇后，不是皇帝？」我說。

「這跟性別無關，跟妳先挑哪張牌有關。」安娜貝爾邊說邊把兩張牌滑向我。

「我是隨便挑的。」我打岔道，刻意保持冷淡，隱藏剛萌生的好奇心。

「想知道皇后這張牌告訴我什麼訊息嗎？」安娜貝爾問我。她咧嘴笑，露出一口黃牙。看樣子稍微猜中了，令她樂不可支。

我在腦中重播她洗牌的方式，試圖回憶其中有無異樣，她有沒有偷瞄牌或動手腳，讓牌照她安排的那樣被解讀。可是我想不到有哪裡不對勁，就算這全是一場騙局，至少有點娛樂價值，代價只是一條我不在乎的項鍊。我只是幽幽問道：「怎樣？」

「皇后是張好牌。皇后象徵著滋養與忠誠。只是……」她對皇帝那張牌皺眉，「或許過頭了。」

她朝我擱在桌上、十指交扣的手點了個頭。「教我不看妳的戒指也難。」她說。

「如果要我把戒指給妳才能聽完預言，妳就省省吧。」我說。

她打手勢要我伸手。我有所遲疑。「我只是想聊它的花樣，不會要妳脫戒指給我。」她說。

我戒慎恐懼地讓她拾起我的手，她用手指勾勒蝕鏤在我婚戒的藤蔓與花。「皇后喜愛照顧眾生，看他們茁壯。可是如果澆太多水，花會死的。」

我憶起媽媽種的百合花，她還在世時，花開得有多嬌豔，她死後我多不顧一切，想讓花兒重現生機；讓象徵她的那一丁點標誌長存，對我來說有多重要，而我又是如何搞砸的。安娜貝爾說：「或許，妳愛得太熾烈了。」

我同樣喜怒不形於色，免得讓她發現自己說中了。他們都玩這一套，算命師先是隨口瞎猜，然後憑對方的肢體反應定奪。

「那皇帝呢？」我把手抽回，藏到桌下。

「皇帝很英勇，統率四方，因為妳把這張牌抽到自己牌旁邊，我認為它代表著跟妳關係親密的人。跟妳自己一樣，成為妳的一部分。」她說。

她在污穢鏡片後的雙眼已洞悉底蘊。「也許妳要找的是妳的雙胞胎？」

要猜還不容易？皇后、皇帝。話雖如此，一陣刺麻感還是爬上我的脊柱。「對，我哥。」我說。

因為忙著分析她怎會如此料事如神，我甚至沒聽見她的即刻回應。我環視掛在她牆上的一切，每筆換取她預言的交易。她解讀肢體語言和面部表情的功力驚人，想必扯過千百個貌似合理的謊。我以為自己比其他人聰明，怎知她照樣破解我的密碼，教我差點就要聽信於她。玻璃、塑膠和金屬碎片在火光中對我眨眼。

安娜貝爾彈手指要我回神，我將目光轉向她。

她氣急敗壞地說：「查妳哥的下落，耗損我很多精力，因為這個人有些陰暗面，就連妳也不願對自己坦承。」

「沒這回事，我很了解我哥，只是不知道他人在哪裡。」我說。查他的下落才是這回算命的重點，不是嗎？

安娜貝爾狐疑地打量我。「皇帝是張強勢的牌，意味著這個人喜歡發號施令。」她說。

沒錯，羅恩是這種人。爸媽去世之後，凡事由他一肩扛起。他為我倆找到工作，確定我每天早晨規律起床，而不是沉浸在悲痛中無法自拔。一直以來，他都無比堅強、頭腦清楚。我被採花賊擄走後的這幾個月，我一直希望他別被打倒。

雖然我不信塔羅牌能預知真相，卻在皇帝這張牌中找到慰藉。它告訴我他仍在戰鬥。他還沒喪失希望。

「或許第三張牌能透露一些天機。」她說。

我從第三疊抽走最上面那張牌，把它面朝上地擺在皇帝旁邊。

世界。

安娜貝爾說：「這張牌從沒被抽過，上回被人抽走是我小時候的事，那時我還在老家為人算命，還沒發生病毒感染的事。之後就再也沒人抽過了。」

「所以這是好事嘍？」我說。

她對著紙牌皺眉。「我畫這三張牌的時候，它們代表三種普世原則：生命、死亡、和重生。童話故事裡有三個願望、三位神仙教母。每位算命師的解讀或許各有不同，但皇后象徵妳的生命，世界應該象徵妳的重生。」

「而皇帝代表死亡？」我說。這麼推測似乎很合理。畢竟年輕這輩都在迅速凋零。

「也不盡然，死亡不見得是字面上的意思。它也能意味著改變，好比脫離了過去的生活或過去的關係。」安娜貝爾說。

就像採花賊把我推進那輛廂型車，將我載離我所熟悉的一切。

「誰改變？是我還是皇帝？」我問道。

「可能兩個都會變，但我只能跟妳說：先要山窮水盡，才會柳暗花明。」安娜貝爾說。這好像是第一代的諺語。生病的時候，媽媽曾對我這麼說，她輕撫我的額頭，嗓音又輕又柔：「先要山窮水盡，才會柳暗花明。在退燒前要再痛苦一下。」要說這種話還不簡單，畢竟他們可以活到老年。我們其他人根本沒時間在柳暗花明前撐過山窮水盡。

「所以妳沒辦法跟我說他人在哪裡嘍。」我說。這不是問句。

「他已經不是妳心目中的那個他了，我只能跟妳說這麼多。」安娜貝爾說。

「可是他還活著？」我說。

「我看不出任何他死了的跡象。」

我遲疑了一下，下個問題停在我舌尖久久才吐露。「他放棄我了嗎？」

安娜貝爾流露惻隱之心。她把塔羅牌收成一疊，安全地塞到一旁。「對不起，我無從得知。」她說。

第十一章

等又輪到我睡覺的時候，我夢到了熊熊大火。爸媽在曼哈頓的房子陷入火海，我從敞開的門看見外頭層層黃、橙兩色交疊的烈燄。窗戶都被木板釘死了。我扯開嗓門，呼喚哥哥。羅恩！我聲嘶力竭，感覺喉嚨都要破了。

我困在自己的烈燄裡對他聲聲呼喚，呼喊說我還活著。

他沒聽見。夢境轉為一片漆黑。

瑪蒂在我面前徘徊，搖晃我的項鍊，扯得咯咯響。我睜開眼，呼吸急促。

「妳做惡夢了。」蓋布利歐說。他跪在我身邊，從紫羅蘭的包包裡拿了一片不新鮮的麵包給我。「在上路之前妳或許先該吃點什麼。」

他兩眼疲憊，臉上滿是鬍渣，面如死灰。我坐直身子，咬了一小口麵包，這才發現自己有多餓。我根本不敢去想在官邸裡等我享用的早餐有多美味。「你吃東西了嗎？」我問他。

「剛才妳睡覺的時候，我吃了一點。安娜貝爾說只要我幫她去溪邊提水，她就會幫我們燒點洗澡水。我想先等妳醒了再說。」

「我也去幫忙。」我說。可是我正準備起身，他就伸手抵住我的肩膀。

「我來就好，妳該休息，妳看起來很需要休息。」他說。

我敢發誓他說這番話時語帶惡意。我端詳他的臉，褪了的瘀傷仍在他肌膚底下蟄伏。我覺得他疏遠的目光，不能全怪依舊在他體內作祟的天使之血。

他在氣我。但我也不能怪他。是我說服他離開官邸，跟我一同遠走高飛的，所以之後吃的苦全算在我頭上——我凝視他愈久，就愈篤定。我心往下一沉。

「蓋布利歐，我們一開始就跌跌撞撞，對不起。我保證一定會苦盡甘來。聽我說，起碼我們自由了……」我說。

他起身打斷我的話。「算了，妳休息就對了，我馬上回來。」

我把剩餘的麵包遞給瑪蒂，起身的時候只見她已開始狼吞虎嚥。「我也去。」我態度堅定地說。

我們踏出屋外時，安娜貝爾正在檢查其中一面牆，嘀咕著說風老是把木板吹鬆。她為我們指引河的方向，拿好幾個用來盛水、燒洗澡水，但生鏽、款式不搭的水桶給我們。

我跟蓋布利歐並肩同行，但膠著的沉默令我難以忍受。我倆都因疲累、反胃和連日來所受的煎熬而呼吸困難。除此之外，我也感到自責。為我害他受罪而自責；為我說服他一同私奔，卻沒完全吐實而自責。

在官邸時，我們坐在我的床上，我對他娓娓道來，聊起曼哈頓、自由、釣魚、高樓大廈，還有我對過正常生活的癡人說夢。在我被囚禁的期間，回憶裡的外在世界變得加倍歡快、美好、爽口誘人到我也希望他能成為其中一份子。我想讓他知道沃恩官邸外的生活是什麼樣子。我被這些事沖昏頭，竟然忘了世界可以這麼殘忍，這麼混亂險惡。

我好幾次張嘴想對他說，但最後說出口的只是：「你覺得沃恩為什麼這麼快就找到我？」

蓋布利歐憂心忡忡地說：「不曉得。這我也一直在想，也許我們還是沒離官邸太遠吧，這一區可能還有他認識的人。」

「感覺像是一大段路，我以為走得夠遠了。」我說。

蓋布利歐聳聳肩。「還得走更遠才行。」然後我們又陷入沉默。

從小溪挑水回安娜貝爾家可把我給累慘了。我的胳臂陣陣抽痛，喉嚨被凍到發疼，皮膚也凍破皮，雙腿感覺快掉下來了。但起碼我正在做一件有用的事。

安娜貝爾就著壁爐為我們燒水，一次燒一桶，然後倒進洗臉盆。儘管我只是用條破布擦浴，溫暖的洗澡水仍在我身上產生奇蹟。清掉我身上積聚的一層髒污感覺真好。

我拿肩帶扯裂的黃色洋裝，換了皺巴巴的綠色毛線衣和牛仔褲。

我想起狄德麗為我織的那件美麗毛線衣；它如今已不復在，淪為姨娘瘋狂馬戲團的資產。

臨走時，安娜貝爾在門口與我相擁，叮嚀我要萬事留意。好像這是個天大的祕密，所以她要用氣音說，雙眼流露如讀牌那時的沉重。縱使她忙著趕我們出門，免得被之後上門的顧客看見，我仍能肯定她一臉愁容。舉目四望，怎麼可能有顧客上門？我們待的是一座鬼城，比姨娘的嘉年華還要破敗，每棟樓房的主要結構都被拆光，拿去當蓋成安娜貝爾住的那種臨時房屋。

仍舊形容枯槁的蓋布利歐說：「謝謝妳讓我們留宿。」用字遣詞一絲不苟，彷彿我們仍待在官邸。然後他牽起瑪蒂的手，我挑起紫羅蘭的包包，三人再次上路。

蓋布利歐沒問下一站在何方。我們該何去何從，他大概已經放棄了。反正我也沒有答案。我只知道用走的到不了曼哈頓，只知道我們必須在天黑前想個法子。安娜貝爾說只要沿著海岸線走幾哩，就會看見一座小鎮。於是我們照辦，離海岸線近到可以聞到海水味，聽見海浪浮沉。

我想起沃恩說林登日益消瘦，西西莉的寶寶快活不成了。我遲疑了一下說：「林登、西西莉跟鮑文的情況，你覺得沃恩說的是真的嗎？」

「我不相信。」蓋布利歐看都不看我一眼。我可以感覺他皮膚底下怒火中燒，好似水燒開時那般帶勁，幾乎可以聽見它剁滋作響。他臉部肌肉緊繃，嘴唇灰白。

以前他在官邸總是熱情活潑，在寒冷的深秋時節為在室外活動的我準備熱可可，而且會先在紅葉中躲一陣子，弄得臉頰和雙手老是紅通通的。當時他壓抑的微笑下充滿朝氣，如今他完全變了個人。我認不得他了。

「我看看你的眼睛。」我說。

「什麼？」他咕噥道。我碰他胳臂，他雖縮了一下，但沒抽離。

「蓋布利歐，看著我。」我輕聲呼喚。

瑪蒂站在我倆身旁啃咬外套的拉鏈，當個旁觀者。

他望著我，但瞳孔渙散，一雙碧眼反照我背後那片空蕩蕩的天際。

「你施打的天使之血過量了。」他迴避我的目光，望向視線外的滔滔大海，海水不斷拋擲那些倘若得不到自由，寧可棄船跳海的美人魚和皇后的屍體。不曉得我們算不算其中之一。

「我眼睛看不清楚，痛苦到了極點。」他說。

「我也不舒服啊。」我說。

「沒我那麼難受。我老做惡夢，總是夢見妳。在水裡溺死、被活活燒死，或放聲尖叫；就連我醒著，妳在我旁邊睡覺的呼吸聽起來也像小型地震，好像地會裂開把妳往裡拽。」

他回望我，我在他眼底沒看到藥物作祟，也不見蓋布利歐的蹤影，只看見兩者的綜合體。這是我創造的新物種，我毀滅的男孩。

小時候我養了一條金魚，這膨膨、橙色的玩意是我爸送我的生日禮物。幾天後，為了清潔水族缸、注滿乾淨的水，我將牠倒入裝飲用水的玻璃杯。不料，我把牠倒回潔淨澄澈的水缸後，金魚身子向一邊傾斜，飄忽地游了一會兒，然後就死了。

哥哥責怪我，說這轉變來得太快太猛，換水的過程應該循序漸進。我把牠嚇死了。

我雙手鑽進蓋布利歐的衣袖，摸找他的手腕再緊緊抓牢。我不能為此生他的氣。是我將他帶離官邸這個除了氣候其他全由沃恩一手掌控的虛擬密封國度，然後將他一把推進這個充滿燒殺擄掠和行屍走肉的世界，我只能給他自由的承諾；然而，在遇見我前，他根本不嚮往自由。

「好吧，還剩多少？」我溫柔地說。

「多半都還在。」

「那試著定量分配，在我們找到歇腳的地方前先幫你度過難關。之後你就要靠自己的力量戰勝藥癮了，好嗎？」

他點點頭，腦袋懶洋洋地前後擺著。我一手摟著他，並牽起瑪蒂的手，繼續上路。

沿途我們經過一座小鎮，乍看之下是被人遺棄的廢墟，但殘破的樓房後傳來奔跑的腳步聲，我也能聽見刺耳的機器聲。不用在此地久留我就知道我們在這裡不受歡迎。

「萊茵？」感覺像是沉默了幾小時，蓋布利歐才終於開口。他的嗓音疲困含糊。

「嗯？」

「妳什麼時候才要承認我們不可能一路直走到曼哈頓？」

瑪蒂鬆開我的手，蹲在泥地裡看一隻蟑螂急速繞圈。這裡八成還有幾百隻，畢竟我們站在一座垃圾堆旁，臭氣熏得我流淚。

「好吧，我們可以休息一下再重新整隊。但別選這裡。到空氣比較清新的地方。」我說。

「根本沒有空氣比較清新的地方。」蓋布利歐反駁道。「我們離開官邸之後，壞事就接二連三地發生。」他直視我的雙眸，刻意在句中逐字停頓。「不可能好轉的。」

遠處垃圾車的重量把地表震得隆隆響。拉上隔板把更多垃圾倒進垃圾堆的垃圾車揚起塵煙。雖然說這裡已經臭到無以復加，但我敢發誓氣味變得更難聞了。

「確實好轉了呀。聽我說，有垃圾就代表有文明，這附近可能有大城市。」我堅持我的看法。

蓋布利歐回望我，他目光呆滯，皮膚慘白有如大理石花紋。這一瞬間，我想他想到心痛。我懷念他柔軟內斂的溫暖。我倆初次接吻時，他捧著我的那雙手。我知道是我沒有讓他暖身，就將他帶離舒適圈。他開口打算說話，我滿心期望，只願他能說些熟悉的、暖人心扉的話，但他只說了「瑪蒂」兩個字。

我轉身循著他的視線。瑪蒂從我們身邊跑開，朝用粗體白字寫了「廢棄物管理中心」的藍色小房子跑。

「等一下！」我在她背後追，出人意料的是，蓋布利歐竟能跟上我的腳步，紫羅蘭的包包像是折斷的翅膀擊打他的側身。「瑪蒂！不要跑。妳不曉得裡面有什麼。」

可是她不聽勸，即使稍微腿瘸，速度還是很快。她衝到樓房深處的角落，但令我詫異的是，她居然停下來等我們。我跟蓋布利歐終於上氣不接下氣地追上她，我正準備問她哪根神經不對時，蓋布利歐一把抓住我的胳臂。

「妳看。」他說。瑪蒂眉開眼笑。泥地上有輛原地空轉的大型貨運車，只見它後門敞開。

「她應該是幫我們找到交通工具了。」蓋布利歐說。

我有所遲疑，如雷的心跳聲直達耳朵。即使隔了一段距離，我仍能聞到貨車的金屬味，想起採花賊廂型車令人心悸的黑暗，就像有重物壓著我的頭蓋骨；瘋狂的卷鬚有的溜滑，有的纏繞我的四肢。「我們……」我嗓音哽咽。「我們不曉得這輛車會開到哪裡，說不定會把我們帶到反方向。」

「有方法可以確定方向嗎？」蓋布利歐問道。剛萌芽的希望為他的雙頰帶來一點血氣。我按捺自身的恐懼。要是回絕他、回絕我們所有人這個千載難逢的好機會，那我就太自私了。

「批次碼，我哥管理許多貨運，處理完貨車都要開回原地。車尾應該有批次識別編號，開頭還有州名的縮寫。」我說。

蓋布利歐離開我身邊，只見他彷彿用慢動作向貨車挪移。「是這個嗎？」

「開頭是什麼？」我問道。

「PA……賓州？離紐約遠嗎？」他問我。

「就在紐約隔壁……」我努力把話說得比我心裡想的還欣喜，我寧可徒步也不願爬進另一輛車黑暗的後車廂。反觀瑪蒂，她自然對爬進深幽的空間沒有任何疑慮。

貨車側身畫了個笑容滿面的小雞卡通，「卡力薯片＆清涼飲料」的字樣將卡通圍了一圈。

蓋布利歐接在瑪蒂背後爬進後車廂，並伸手拉我一把。他沒看見我得深吸一口氣才能鼓足勇氣。

第十二章

我們躲在一箱箱薯片和椒鹽脆餅後。司機砰的關上車門，起初車身一晃，然後就出發了。

沒有任何地方的黑比得過密閉空間。它比你閉上眼，或黑夜降臨還黑。我眼睛張得老大，試著調適，試著辨別某件東西的輪廓，無論是什麼都好。可是我只能看見被擄來的女孩蜷縮的手腳。我一直期待有人會尖叫。

過了一會兒，瑪蒂睡著了。我能聽見金屬內壁放大她微弱的氣息。

蓋布利歐很沉默，但我能感覺他在我身旁，胳臂與我互貼著，腦袋偶爾會撞到我們背後的牆。

他剛輕聲對我說了什麼，但我沒聽清楚。也許是我幻聽。也許是我在做夢。我突然驚覺難以分辨夢魘與現實。

「萊茵？」他說。

「啥？」其實我無意讓嗓音繃得那麼緊。

「我問妳覺得要多久才會到賓州？」

「有差嗎？反正我們也不知道時間。」我說。話一出口，我就擔心自己太兇了，於是試著溫柔地問他：「你現在感覺怎樣？」

他貼著我的身子晃動，我盯著他那頭的黑暗。「妳在發抖。」他說。

「沒啊，我沒事。」

「有，明明就有。我本來以為是貨車在動，結果是妳。」他說。

我把膝蓋縮到胸前環抱，閉上眼，但願就算眼睛閉着，也能看見紅褐色的光。問題是這片漆黑我連一分一秒都擺脫不掉。它就像老虎鉗緊擰著我的腦袋。

蓋布利歐東摸西找，最後手終於摸到我的頭髮。他手指插入我的髮絲，我則將身子靠著他。我可以感覺他臉上的汗珠滴到我皮膚上，我知道他要進入戒斷狀態了。他在他的地獄煎熬，我也在自己的囹圄受苦。

「我早該知道的，這使妳想起採花賊的廂型車，對不對？」他說。

我沒回話。他的指頭順著我臉部的輪廓拂掠，從額頭往下刷到下巴，再從下巴往回刷。我小時候曾拿手電筒朝暗處揮舞，看它產生一道道熾烈的光束；所以我幻想蓋布利歐的手指在我身上挪移時也會發光。我幻想他摸過的地方都拖著光束。

我接下來說的話連自己都大吃一驚：「我被採花賊擄走的那天，其實知道自己死不了。」我頓了一下，尋找較適切的辭彙。「我不曉得接下來會發生什麼事，雖然八成不是什麼好事，但我還是覺得自己死不了。」

「妳怎麼知道？」蓋布利歐問我。

「我也不知道。你有什麼事能百分之百篤定嗎？」我歪著腦袋，感覺他的鎖骨抵著我的臉頰。我可以在他衣服上聞到安娜貝爾詭異小屋的氣味，和她壁爐的熱氣。也可以看見她的塔羅牌成疊整齊堆放。皇后。皇帝。世界。

「我從沒想過自己會死，我哥說我只是還沒接受事實。」我說。

「感覺妳哥跟妳是很不一樣的人。」蓋布利歐說。

「的確沒錯，他比我聰明。會修東西，會解決問題。」我說。

「妳也會修東西跟解決問題啊，別小看自己，妳是我認識的人裡面最聰明的。」蓋布利歐說。

我笑了幾聲。「你認識的人不夠多。」

「這我承認。」我感覺他在得意地笑。他頭一垂，嘴唇輕拂我的額頭；他的唇龜裂溫暖，我的神經都被喚醒了，從前的蓋布利歐回到我身邊了。

有那麼一會兒我覺得安娜貝爾的預言沒那麼瘋狂。我覺得一切都會塵埃落定。

醒來之後，我確信自己待在一個安全的地方，有光的地方。可是當我睜開眼，卻只有伸手不見五指的貨車和車子行進時的晃動。

有東西在我身旁顫抖，我發現那是蓋布利歐。倒在他身上的我搜索他的輪廓，最後摸到他冒冷汗的臉。

「妳醒了嗎？」他問道。他嗓音沙啞，幾乎不像人類。

「醒了。」我邊說邊坐直身子，盲目地將他頭髮往後撥。

貨車的某處傳來袋子沙沙作響，有人在嘎吱咬著薯片；但瑪蒂拿車上的貨物當零嘴，不是我此刻最大的擔憂。

「你進入戒斷狀態了。」我說。

他急促不穩的呼吸本來就夠可怕了，再加上我看不見，恐懼感更雪上加霜。「蓋布利歐？你哪裡痛？」他的回應是可憐的呻吟。

他花了好一會兒才鼓足力氣說：「好像有人拿麻繩捆住我的每個器官然後用力拉。」

我碰他的手臂，他那緊繃的肌肉令我吃驚。我發誓我能摸到他的靜脈。「繼續跟我說話。」我說。

「辦不到。」我摸他手，他卻抽走；我聽見他緊縮的身體砰一聲撞上地板。

「蓋布利歐？」

「再給我一點天使之血。」他啜泣地說，真的哭了出來，嚇得我真的動了要拿藥給他的念頭。「一點就好。讓我接下來的旅程不那麼痛苦。」

「不行。」我躺在他身邊，明明凝視一片漆黑，卻假裝可以看見他。他冰冷的氣息吹拂我臉，有點酸，還帶著血味。「怎麼注射我也看不到，這樣可能會害死你。」

「我不在乎。」他有氣無力地說。

我充耳不聞。

「再撐一下就好，先休息一下。有我看著，以前我跟我哥都是這樣保護彼此的。」我溫柔地說。

蓋布利歐發出的聲音似笑又像呻吟。他說：「珍娜說的是真的，妳把照顧大家當作自己的責任。」

「你在說什麼？她什麼時候說的？」

「之前。」蓋布利歐說。他的嗓音愈顯微弱。我很肯定煎熬和戒斷現象把他搞到精神錯亂了。

「什麼時候之前？」

「她生病之前。」

我挺直腰桿坐好，打翻一箱零食，發出砰然巨響，我一度覺得自己看見白光。「她說什麼？」我焦慮的音調很高。胸口繃得好緊。

他沒回我，所以我搖他的肩膀。他含糊地抗議，擺脫我的束縛。「她說妳忙著假裝堅強，所以沒發覺，但是沃恩戶長發覺了，這使妳陷入險境。」

「發覺什麼？」我說。我這才急了。雖然明知珍娜有事瞞我，但那些祕密已隨她入土為安，我從沒想過自己有機會聽聞。可是，現在從蓋布利歐口中聽見她說的話，有那麼一點幾乎像是她又回到我身邊。

這八成是珍娜跟蓋布利歐私下的談話內容，不然他大可趁自己更清醒的時候跟我說。戒斷現象和錯亂狀態使他突然坦承起來，我這樣占他便宜或許不對，但我就是忍不住再問他一遍。「我沒發覺什麼？」

他在陷入沉睡的前一秒回答我。「妳有多重要。」

第十三章

貨車停下來了。不曉得時間過了多久，幾個小時？也許一天吧？我把手伸向黑暗，摸到瑪蒂瘦小的身體，將她拉向我。謝天謝地她沒尖叫。

蓋布利歐的頭靠在我大腿上，最後這幾哩路，他規律平穩的呼吸告訴我他睡著了，但是這時他身子一挺。「噓，壓低身子，車停了。」我對他說。

我們在堆疊的箱子後縮成一團。瑪蒂手中的袋子沙沙響；我握住她的拳頭，蓋住噪音。隱約的人聲把我嚇得心臟都要跳出來了。蓋布利歐摟著我的肩膀，暫停呼吸。

後車廂開了。我咬住下嘴唇，尖叫聲猶如飛蛾在我喉嚨亂顫。我可以聽見被擄走的女孩被突如其來的光亮嚇得移開，也能聽見她們驚恐的呢喃。

硬鞋把金屬踏得叮噹響，某人的體重把貨車壓晃了。

「……一路開去的話，明早就能把貨都運到西維吉尼亞了。」這是年輕男子的聲音。

有人把箱子抬走搬出車外。

另一人說：「今晚可以在這裡留宿啊。」

「我負擔不起。」

「其中一個可以睡前座，另一個睡後車廂。」

語畢，傳來一陣哄堂大笑，接著笑聲遠去、消逝。

我從箱子後方伸長脖子，只見夕陽刺眼的金黃餘暉在禿樹後方西沉。司機們走進一棟房屋，上頭的粉紅色霓虹燈招牌用草體字寫了紅鶴六。下方的牌子上是手寫的營業中。

「走吧。」我一面輕聲說，一面把瑪蒂移到我面前。蓋布利歐在我背後，整個人茫茫然，得手腳並用爬行。我盡量小心點把他弄出貨車，卻又擔心司機會在我們離開他們視線範圍前拐回來，所以扯他的力道還是比預想中的大。

瑪蒂抱著她媽媽的包包，如今裡頭塞滿好幾包薯片。不曉得姨娘為什麼覺得這個孩子很笨；到目前為止，她在每個關卡腦筋都動得比我更快。

最後我們躲在一輛垃圾車後，觀察貨車司機將一箱又一箱的貨品搬下車。幸好我們搶先一步離開，因為現在讓我們藏身的箱子被搬光了。其中一個男的關上貨車後門，另一個爬上駕駛座。

蓋布利歐眼皮沉重，茫然盯著自己的大腿，毫不在意蒼蠅繞著他的腦袋嗡嗡響。瑪蒂遞給他一罐溫熱的汽水，但他並不理情，嘴裡嘀咕著什麼，我聽不懂。

泛灰的光與他的膚色相稱，他深色的眼袋鬆垂，嘴唇蒼白不見血色，衣領周圍冒了一圈汗。

我不願讓思緒沉緬於自己的處境有多糟，但再怎樣都得面對。地上沒有積雪，卻依舊冰天凍地。天快黑了。我們無處可去。我有個重病的人和小孩需要納入考量。唯一可能讓我們在城鎮間穿梭的交通工具馬上要開走了。我瞇著眼，看見一位司機對另一位打手勢交流。

「快回貨車。」我說。

「妳會做惡夢的。」蓋力利歐說，他的聲音如此輕柔含糊，我得在自己腦裡重播那幾個字才有辦法理解。「妳……妳在夢裡告訴我的。」

「我不會有事的，走吧。」

我拉蓋布利歐起身，他也沒有反抗。問題是我們的動作不夠快，還沒接近貨車，它就開走了。

瑪蒂忿忿不平地喘粗氣，額頭周圍的髮絲紛飛。

紅鶴六的店門開了，一群第一代顧客的嘻笑聲響徹雲霄；他們出了門，四散上車。我們想必離富裕的精華區不遠，因為人們有車開，而且只有第一代負擔得起。他們似乎到處建立殖民地，彷彿無法面對社會的其他部分。他們有的人抵制新生兒出生，擁戴自然主義，只管自己這輩子過到壽終正寢，也不顧新一代的死活，明知我們打從出生起就大限將至，卻選擇冷眼旁觀。

有時我好羨慕他們已經活到七老八十，面對死亡才能如此泰然自若。

我可以聽見遠處城市的喧囂，這也是我頭一回認真觀察周遭環境。看樣子紅鶴六是一家餐館，我們正站在它的停車場。再遠一點的下坡，可見樓房、街燈和馬路。「你看！」我對蓋布利歐說。這是第一個讓我們燃起希望的地方，我要他看看在官邸外也有值得過的生活。

但是他眼神失焦，蓬亂的頭髮因汗水轉為深褐色。他靠在我身上，我真的聞到他身上有患病的氣息。我眉頭一皺，悲憐地輕喚他的名字；他閉上眼。

「你們這幾個孩子杵在這裡幹麼？」有個女人從敞開的門口呼喚我們。溫暖的光線和香甜的氣味將她圍繞。有個男的走到她背後，瑪蒂趕忙躲到我背後，緊抓我的襯衫褶邊。

叫格雷的男人和他的妻子艾莎妄下結論：蓋布利歐病毒纏身，而我也沒糾正他們。我猜病徵應該大同小異；況且，要是他們知道天使之血在蓋布利歐的靜脈內流竄，八成不會這麼慷慨施捨我們食物。有些第一代就算沒把我們看成毒蟲，也不贊成我們活在這個世界。

他們帶我們穿過蒸氣四溢、香味撲鼻的廚房，讓我們坐在休息室一張小折疊桌前，為我們送上碗盛的雞湯麵和炭烤三明治。蓋布利歐一口也沒嚐。看得出來他試圖保持警戒，但他的肩膀卻不由自主地抽搐，眼皮也沉得厲害。

「妳信不信，我們三十年前就開這家餐館了。」艾莎邊說邊送上玻璃杯裝的檸檬水。瑪蒂豪飲下肚。「真是個小可愛。」艾莎說。我猜她想要個解釋，因為看樣子就知道瑪蒂不是我或蓋布利歐的小孩。

「她是我姪女。」我言簡意賅地說。艾莎聽了也沒再追問。事實上，她似乎對蓋布利歐更感興趣。「乖孩子，你該吃點東西。」她對他說，哀傷一下全湧上她幽深的雙眸。「很好吃的，吃了才有體力啊。」

「他只是累了需要休息。我們想回西維吉尼亞的家。」我想起其中一名貨車司機講的話，便拿它來扯謊。我假設我們躲在貨車後車廂，這一路開過的距離大概也跟維吉尼亞一樣遠。「他的家人在那裡。我們覺得……妳也曉得，如果他能和家人團聚，會是最好的結局。」

艾莎聽了熱淚盈眶，藉故離開房間，我當下立刻為自己的謊懊悔不已。

「妳真是說謊高手，臉不紅氣不喘的。」蓋布利歐一面咕噥，一面把頭緊挨著我的肩膀。

「噓，盡量吃點東西。」我對他說。

但沒過幾秒鐘他就開始打鼾。

後來艾莎進來看我們，對蓋布利歐的睡姿皺眉。「你們今晚沒地方留宿嗎？」

滿嘴三明治的瑪蒂好奇地打量我。

我扯了個謊，心力交瘁到思緒一團亂，就連自己也不信這些胡說八道能扯出什麼道理。什麼巴士拋錨，下一班要到明早才來，對，我們沒地方可以留宿。沒想到艾莎居然信了，而我也確實開始懷疑她有點精神異常。

當她邀我們在她跟她丈夫位於餐館樓上的家過夜，我便確定她真的瘋了。

蓋布利歐靠著我休息，他在令人擔憂的恍惚狀態中犯嘀咕，一條腿也不停抽搐（只有我把手搭在他大腿時才恢復正常），艾莎則拉了張椅子過來跟我說話。雖然話是對我說的，她的雙眼卻在蓋布利歐身上流連，露出既若有所思又愛憐的眼神。「可憐的孩子，看起來還不到二十五。」她輕柔地說。

那是因為蓋布利歐今年才十八歲，不過這話我沒跟她說。其實這或許並不是確切的歲數。我認識他快滿一年了，或許他跟珍娜一樣，也跟我一樣，低調過生日，沒和外人說。離大限又逼近一年。我將他緊緊抓牢，將他褲子的布料揪在掌心。

我張嘴想說他把情況控制住了，他比我預期撐得還久，但還是把話嚥下。這個謊我再也撒不下去了。這個世界已有太多死亡，它無所不在，每分每秒朝這些可愛虛假的新世代近逼，我跟蓋布利歐生來就是其中一份子，但我不想再有所貢獻了。

事實上，我沒來由地想哭。

但我沒掉眼淚。我把湯喝完，聽艾莎說故事，這個故事和名叫查理的男孩有關。「我的查理。」她是這麼形容的：「我最好的、最乖的、最惹人疼的查理。」大概是她兒子吧，或她死去的兒子，因為艾莎正說蓋布利歐長得有多像他，他臨終前的幾週有多難熬，以及她如何在走廊上聽見他的鬼魂低語。她說他的話語像被困在壁紙裡，在小藍花的圖案間躍動、迴響、在朵朵小花間嬉鬧。

女人的話令瑪蒂聽得如癡如醉，她頭抬得老高，雙眼凝視艾莎蠕動的嘴唇。不曉得艾莎跟瑪蒂是不是有相同的頻率。如果瑪蒂會說話，她能不能講述雲朵的笑話或她頭髮裡藏著的幽魂？

艾莎看到我的婚戒便假設蓋布利歐是我丈夫，並說她兒子從沒結婚。還說她有天想為他討個老婆，這樣死後就有人能在天堂陪伴他。後來她問我會不會唱歌。

但她就是沒問起我的雙眸，怎麼變成這樣的，以及是不是畸形，為此我心存感激。或許因為她的世界一切都病了。

格雷聽見艾莎在講話，便進來把她帶走，嘴裡說著：「老婆，來吧，還有客人要招呼。」他的出現破解了施在瑪蒂身上的魔法，因為他一靠近，她就不敢動彈，他走了之後，她又溜到桌子底下。無論我怎麼叫，她就是不出來，我索性作罷。我想了個遊戲，用腳輕點地板，擊出林登晚宴上某首歌的節拍，然後我會無預警地輕點瑪蒂的腿。

她很開心。我可以聽見她生氣勃勃的呼吸聲，後來我發覺那代表她在傻笑。

「重要。」蓋布利歐朝著我的脖子低語，但音量小到我聽不見。我知道今晚他肯定不好過。

「請原諒我太太，她很難分辨什麼是人，什麼是流浪貓。」格雷一面說，一面走回來拿抹布擦手。他大概在說笑，畢竟他是邊說邊笑。躲在桌下的瑪蒂緊抓我腿，格雷蹲下來對她揮手時，我可以感覺她的指甲一如鷹爪穿透我的褲子，也很肯定腿被她抓流血了。

「我們的確有空房，她也想要租人，當然要收租金，不過這個我們可以明早再商量。」他說。

他面容和藹。和他妻子一樣有雙哀怨幽深的眼睛；笑紋，灰褐色的頭髮，鬍子刮得乾淨。然而，當他對我綻露微笑時，我竟然也想鑽到桌底下。不是跟瑪蒂一同躲藏，而是要保護她。

第十四章

餐館打烊後，約莫晚上十點過後，我把蓋布利歐叫醒，他已倒在桌上好幾小時，還流了一灘口水。我連哄帶騙地勸他吃掉不知是誰的剩菜，同時和瑪蒂一塊洗碗。站在裝檸檬的板條箱上的瑪蒂出奇細心地擦乾碗碟。第六感告訴我哐啷作響的玻璃會點燃她的怒火，而這點她也心裡有數。

艾莎三步併作兩步地上樓，樓上的公寓有兩間臥室、一間廚房，長廊上還有間小浴室，走廊又隔了一個狹小的起居間，裡頭有沙發和電視。

走廊上的壁紙是小藍花的圖案，艾莎帶我們參觀客房時，深情地輕叩花朵。蓋布利歐揚起目光看我，我只是搖搖頭。

臥室裡只有一張搖搖欲墜的加寬單人床，我正準備叫瑪蒂睡那裡時，她就抓了紫羅蘭的包包，從潔淨的床套上拽走一顆枕頭，爬到床底下。姨娘老是要她躲起來，所以她大概習慣這樣了。

我讓蓋布利歐先淋浴，熱水或許能使他稍微脫離困倦。我沒關臥室房門，聆聽從他身上灑落的水聲。瑪蒂在床墊下亂跑，然後探頭出來看我。

「我們要幫妳清潔一下。」我說。

艾莎用流理台下方的急救箱為瑪蒂重新包紮斷了的那條胳臂。瑪蒂坐在比她瞳孔顏色更深的櫃子上，任艾莎為她療傷。瑪蒂天真爛漫地把小手臂抬高，艾莎則一面哼歌，一面對她微笑，說一直想要個孫女。艾沙就著流理台洗瑪蒂那頭滑順的黑髮，後來居然還拿出剪刀，把那些紫羅蘭剪的、但不對稱的邊角全給修齊了。她從瑪蒂的手臂和臉上擦掉一層污垢，嘴裡哼著歌，有時唱的歌是我從沒聽過的語言。也許是她自己編的。瑪蒂蠕動嘴唇，我差點以為她也要跟著唱，不過當然沒有。

我始終雙臂交疊站在門口，知道只要我待在這裡，就不能允許自己入睡。畢竟蓋布利歐現在仍累得無法守夜。

回到臥室後，艾莎拿出一些衣物給我們當睡衣穿，這些全是年輕男人的衣服——一件鬆垮的T恤，將瑪蒂整個人都給吞沒；我的襯衫則從肩頭滑落，運動褲如果不束緊束帶，就會滑落。

蓋布利歐還在淋浴，我坐在床上等他時，瑪蒂從包包裡拿了一本書，爬到我旁邊。那是童書，頁角翻爛了，脆弱的頁面幾乎要跟書脊分家。我檢查版權日期，發現出版年份差不多跟我爸媽年紀一樣大。用藍色蠟筆、以孩童搖晃筆跡撰文的作家，名叫葛蕾絲．羅特內。瑪蒂指了指書，手指拂過雲霄飛車般高低起伏的書緣邊角。接著，她凝視我，翻開書。標題頁綻放著奇花異草、潦草的字跡，和我覺得畫的應該是一隻鳥的圖。然而，在這一團渾沌中另有別的什麼。無奈褪色髒污，導致難以辨讀。

克萊兒．羅特內，接著是紐約曼哈頓住宅區，以及街名和門牌號碼。

「她是誰？」我問瑪蒂。「妳知道誰住在那裡嗎？」

她一聲嘆息，吹起臉上的汗毛。她的臉如今都洗乾淨了，細毛彷彿生在一個皮膚黝黑的寶寶臉頰。

她續翻書頁，指向第一個字等我為她朗讀，只見字母位於兩個孩童跳水坑的插畫之上。

蓋布利歐洗完澡回來後，房間已有一條摺好的格子睡褲等著他。他穿了很合身，彷彿直接踏進艾莎兒子的靈體。還有一件T恤，只是他因戒斷現象太亢奮、太疼痛，所以根本懶得穿。

瑪蒂上床，又或者應該說「下床」之後，他躺在床墊上面向牆壁，大概想要隱藏自己的痛苦吧。但我能聽見他緊繃的呼吸，看見他皮膚底下彈跳的肌肉。

等我盥洗完畢，便返回臥室躺在他身邊，在他背上輕輕畫圈。他繃緊全身，就像先前我們在西西莉房間，發現產痛初期的她倒在地上。產痛的感覺把她嚇壞了，她怕得不得了，最後終於能張嘴時，脫口而出的只有尖叫。

但蓋布利歐完全沒嘗試出聲；嘯喘和倒抽氣不是他能控制的。

「是不是弄痛你了？要我停下來嗎？」我低聲問道。

他花了一會功夫才發出聲。「不要。」

我的一頭濕髮弄濕了枕頭，但我累到什麼都不管了。蓋布利歐咕噥了幾個字，好像在說我頭髮有杏桃的香味。「這個？」我邊問邊用一綹濕髮在他的裸肩畫了個濕答答的圓。他發出微弱的聲音，彷彿涓滴的水為他帶來慰藉，於是我又用濕髮在他的胳臂、肩峰，和喉頭畫了好幾個圓。從躺在他背後的位置，我可以看見他臉頰泛起的笑意。

我身子挪近了點，床墊彈簧隨之嘰嘎響，於是我的腹部沒有太貼著他的背，前額則靠著他的頭蓋骨。我又呼出一口氣，他因此起了雞皮疙瘩。我見狀心想：*這是他的皮膚。這是我想分享自由的男人*。終於可以自由自在、隨心所欲地靠近彼此，探索我倆對彼此的感覺，不用擔心走廊上的聲響、我帶來惡兆的公公，或地下室的遺體；可是縱使已經逃走，仍像有張蓋棺布矇在我倆身上。

我得把注意力擺在眼前，這我知道。一直以來我都太自私了。這個真實世界少了全像投影，在他身上造成莫大的衝擊；當他忙著和衝擊角力、忍受毒害的同時，我竟然在為姊妹妻發愁，渴望羽絨蓋被、懷念六月豆的滋味。這麼做無濟於事。我將它們拋諸腦後。是時候讓這些往事隨風飄逝，將它們好好塞進回憶，從此絕口不提。

然而，在我這麼做之前，在我將往事塵封之前，有件事我一定要知道。「蓋布利歐？」

「嗯？」他雖然疲憊，但完全清醒。我燃起些許希望，說不定他很快就能擺脫天使之血的荼毒。

「我們在貨車上的時候，你說珍娜在生病之前曾跟你說過話。她說我忙著假裝堅強，所以沒發覺自己身陷險境。」

蓋布利歐微微抬頭，但沒轉頭面向我。「我說過這話？」

我感覺失望油然而生。「你當時是認真的？還是毒癮犯了，胡言亂語？」

「我是認真的，但我不該對妳說這些的，只是當時身不由己。」他說。

這證實了我的猜疑，這件事他們果然不打算讓我知道，但我就是忍不下這口氣：「珍娜有事瞞著我。」後來，我發現自己之所以沒辦法讓它雲淡風輕，是因為我動怒了。「她是我的姊妹妻。我什麼祕密都對她說。她怎麼可以只告訴你，卻瞞著我？」

蓋布利歐吸了長長的、平穩的一口氣。他的肩膀一陣痙攣；他緊抓自己的褲腿，我設法與他十指交扣，這樣他要抓就能抓我。他發出唾沫飛濺聲，聽得我也為他揪心。我差點就要跟他道歉，說不該哪壺不開提哪壺，說他應該好好休息，但這時他開口說：「她知道戶長……沃恩準備要殺她。」

沃恩，我和姊妹妻所有磨難的來源。不用說也知道，珍娜的早逝肯定跟他有關；只是聽到人家開誠布公地說、得到鐵一般的證明，還是像被人重新狠狠傷了一遍。「怎麼知道的？」這幾個字我幾乎說不出口。

蓋布利歐說：「她溜進地下室只為了找我。」她就是那天下午消失的，稍晚我們在書房聊天，她只肯透露剛才去過地下室，但對我的問題一概不答，還吼著說我愛探人隱私。

「什麼……她說什麼？」我聲音哽咽。

「她知道我們打算要逃跑，為此她很擔心。她說妳總是費盡心力照顧每一個人，想辦法掌控局面，卻沒留意自己身陷險境。但那裡是個龍潭虎穴。她要我照顧妳，就算妳不承認自己需要照顧。其餘的她要我永遠都別告訴妳。不過……我說的是實話，如果我覺得對妳有幫助，自然會跟妳說。只是，萊茵，為了妳好，還是算了吧。」

算了吧。讓祕密隨珍娜入土。

我沒再多說半個字，只是伸手向後關燈。瑪蒂在黑暗中的床底下沙沙作響地移動，大概夢到了詭異無言的夢。

就在我以為蓋布利歐逐漸入睡的當下，他突然說：「我信不過這些人。」我也信不過。艾莎迷失在自己心靈的一塊惆悵荒原，格雷則把瑪蒂嚇得魂不附體。我試著推敲箇中原因，畢竟瑪蒂的童年在姨娘的嘉年華度過，看盡嫖客來來去去，自然對男人心生畏懼。但話也不能這麼說。她對傑拉德的喜愛表露無遺，蓋布利歐也從沒令她慌亂不安。

「我來守夜，累了叫你。」我說。

他輕笑一聲，肩膀隨之震動。「騙人。」他嘴巴這麼說，但沒有惡意。下一秒他便昏睡。

蓋布利歐睡眠斷斷續續。我一整晚都抓住他緊握的拳頭，免得他亂揮雙臂，也不忘拿衣袖為他擦汗；他在半夢半醒間爆出令我聽了為之退縮的粗口，但我也默默忍受。我知道這些髒話不是針對我。嚇人的是，我不知道他在跟誰或什麼東西說話。有什麼東西找上了他，也許真的是艾莎兒子的鬼魂在牆壁裡震動，因為他一度睜開眼，目光穿過我，就像有人站在床畔。

我打開燈，一來為了讓他知道沒人在那裡，二來也想向自己證明。但我只發現他的一雙碧眼變得狂野，蒼白的皮膚和毫無血色的雙唇讓他看起來宛若死人。「萊茵？」他叫我一聲，彷彿很意外在這裡看見我。彷彿牽絆他的玩意兒令他心煩意亂，所以儘管我整晚試著安撫他，對他來說卻還是像個隱形人。

「我在。需要什麼嗎？」我邊說邊把他汗濕的頭髮從臉上撥開。

我的聲音似乎使他稍微放鬆。我坐在他面前，把手搭在他手上時，他的指頭舒展開來。他迷惘疲累地望了我好一會兒，然後開口說：「剛才我們是不是在討論搭直升機飛回官邸？」

我忍俊不住，只是搖頭。「沒這回事。」

「哦，我真的覺得聊到那件事，後來妳的頭髮就變成蜜蜂了。」他說。

我拿一綹髮絲在他面前垂盪，不同色調的金色海浪來回起伏，好似糾結盤繞的鐵絲。

「沒有蜜蜂，你渴不渴？」我說。

「一點點。」他回我，並把眼珠往後翻，闔上眼。我告訴自己：他不會有事的，這會過去的。

這會過去的。

這會過去的。

「我馬上回來，」我輕聲說。

我穿過走廊，艾莎把玫瑰色的小夜燈插進插座，映得整條走廊一片桃粉。或許她覺得這麼做，就能牽制兒子的鬼魂或引領他回家的路。

但是廚房很暗，只有月光和我打開冰箱找塑膠瓶裝水時的光亮。我哥曾說塑膠是最了不起的化學發明，因為它永遠都不會變壞；一旦功成身退，可以把它熔化，變成其他東西或倒進垃圾堆任它永久腐爛。

他說科學家有辦法製造瓶子，但沒本事變出人類。

「妳丈夫是不是快死了？」格雷說。

我嚇了一跳，冰箱的門從我手中滑走、關上。我在暗處只能看出格雷屈身倚著廚房餐桌。「不是有意要嚇妳的。」他說。

「沒關係，我只是來拿點水。」我說話的嗓音不如心想的那般沉穩。

「給妳丈夫喝的？」格雷問道。他語氣毫無抑揚頓挫、幾近茫然地說。

「對。」我回答。

「妳真好，這麼照顧他。」格雷邊說邊轉頭面向我，只是我看不清他的表情。「但也別忘了要照顧自己。他們這樣死去——會直接從妳的靈魂把精力吸乾，讓妳感覺垂死的那個人好像是妳。」

我的下一口氣卡在喉頭。蓋布利歐沒有垂死；他的身體會從天使之血的後遺症中復原，之後就會完好如初。可是，珍娜當時確實大限將至。跪在她的病榻旁，撐著她的頭，抹去她嘴邊的血，但鮮血還是源源不絕地冒。我答應自己要想開點，讓姊妹妻一路好走，但始終揮之不去的是那份傷痛；而如今聽格雷這樣描述，我也跟著心慌。

「我知道。」我說。

「我兒子是三十多年前走的。」格雷說。然後他緩了速度、加了力道，複述這幾個字。「三十年了，艾莎還是難以釋懷。」

他啜飲一口酒，我聽見冰塊碰撞玻璃杯的聲音。我馬上聞到酒氣，發覺他講話含糊不清。「我們辜負了你們這些孩子。」他語畢起身，椅子一翻，倒在地上。他不為所動，直接向我走來，我背抵著冷藏箱，免得在他開冰箱時擋到他的路。冰箱的藍光映出他哀傷幽深的雙眸和蓬頭亂髮，悲慘的氛圍如一首不悅耳的歌向外播放。他轉頭面向我：「知道自己什麼時候會死，是什麼感覺？」

我不寒而慄，從他身邊寸步挪開；進廚房是為了拿水，如今我握著瓶裝水的手掌邊緣也開始冒汗。格雷大概根本不指望我給他答案。他正對我微笑，那是個睡眼惺忪、縹緲卻又駭人的微笑。瑪蒂寫的字閃過我的腦海：逃。

我跨出一步，但他抓住我的胳臂。「等等，妳先……等等。妳身上還有這麼多元氣，妳是我多年來見過最溫暖的東西。」他說。

我甩了一下手，豈料他抓得更緊，而且眼色一沉。「放手。」我說。

「再過兩年妳將會化成灰燼。」他說。

他吻了我。那是強而有力的一吻，他的舌頭把我雙唇撬開，用鹽、廉價酒精和口乾舌燥的氣息攻擊我。我立即掙扎，身體不由自主地動起來，又推又踢又是反抗，但沒有一個動作能讓他鬆手，或使他的唇與我分離。我感覺他的舌頭滑進我喉嚨，害我窒息。他的另一隻手伸進我運動褲的束帶。他跟我每場夢魘裡的沃恩一樣，手指起老繭、薄如紙，而且繼續往下探，抓我大腿肉最多的部位。

我放聲尖叫，但他的嘴堵住我，叫聲卡在他的喉間。屋子靜得出奇。我在如雷的心跳在胸口、腦袋和每根指尖轟轟作響，竟發不出半點聲音。

我甚至沒聽見水瓶掉在地上。

接著傳來一聲爆裂、骨頭相擊聲，格雷從我面前移開。不，不是移開。是倒落。他雙膝一跪，兩手撐地，一道鮮血跟著流淌而下。是我弄傷他的嗎？我不可置信地盯著自己的手。不，我在推他沒錯，但下手絕對不可能這麼重。

然後我看見另一個身影在門口移動，怒氣衝天、氣喘吁吁，他的腳懸在格雷頹倒的身軀上，彷彿只要對方試圖回擊，他就要出腳。

「蓋布利歐？」我上氣不接下氣地說。

「妳沒事吧？」他這麼問我，但視線從未離開格雷。

「我……沒事。」我邊說邊眨眼，把胃裡作嘔的衝動往下壓。屋子在頃刻間又充滿聲音。莫名停頓的人氣恢復了。那駭人的瞬間，此刻感覺如此短暫、不再糾纏。我用衣袖擦嘴和舌頭，蓋布利歐則牽起我的手，把我拉出廚房。

「我大可把他殺了，我大可把他殺了。」他一面咕噥，一面拽著我穿過走廊回臥室。

「你是戒斷狀態，語無倫次，這不是你會說的話，你不是這種人。」我說。

「抱歉，我就是這種人。」他說。「瑪蒂，起床，我們要走了。」他把手伸進床底，可憐的女孩還沒清醒就被他給拽出來。先前瑪蒂把紫羅蘭的包包扔在地上，我將它拾起，這才驚覺我的手在發抖。臥室變得傾斜，我得把眼睛閉上片刻，才能分清東西南北。

我們能聽見格雷在廚房的動靜，我還沒來得及阻止蓋布利歐，他就衝向格雷。「不要！你會吵醒艾莎的！走就是了。」我輕聲說。

「我再跟妳們會合，妳帶瑪蒂先走。」他說。

不過，唯一的出路要經過餐館。我一邊下樓，一邊緊握瑪蒂的手幫助她行動。沒想到她速度竟比我快；為求安全，她早習慣四處奔逃；問題是她得到過真正的平安嗎？

而我又平安過嗎？

我們一踏到樓梯最底階，她就從我身邊一溜煙地跑走。我剛做出「等等」的唇形，她便拉開大門，觸發警報器，結果鈴聲大作、震穿天花板。好像我跟哥哥設的陷阱裡所有的錫罐都撞在一起，噪音放大百倍、千倍。聲音大到我都要發飆了。之後也來不及抓瑪蒂了。只見她轉眼間穿過門框，宛若驚弓之鳥躍入黑暗消失無蹤。

現在也沒必要保持靜默了。我大聲呼喊她的名字，在這一團混亂中，我好像聽見有人答腔。可能是瑪蒂，也或許是鬼魂。有人手推我向前，於是我奔向大門，即使踏上戶外的碎石地，我仍舊不停狂奔。不知是何方神聖領我躲到垃圾車後，也就是我們原本的藏身之處。

這裡靜多了，我發現催我行動的人原來是蓋布利歐。他身上穿著艾莎為他準備的襯衫，而我則莫名地提著安娜貝爾給的那捆衣物。然而這一切都比不上我蜷伏在陰影中依舊發抖的事實，更令人心慌意亂。

瑪蒂機靈得很，她早摟著包包在那裡等我們了。蓋布利歐在一片喧囂中問我警報器連到哪個單位。他仍以為有什麼法治人員、什麼神仙，或沃恩之類的人物會來這裡懲罰違法亂紀之徒。

我說：「沒有連線，不會有人來的。警報器的作用是如果有人闖進家門，可以把他們叫醒。」孱弱枯槁的艾莎，和陰沉蹣跚、跟妻子一樣迷失在自己世界的格雷，他們是自家小餐館唯一的守護者，唯一能保護家園的人。就像我跟羅恩，拿瓶罐和細繩在廚房部署陷阱、守護家園的，就只有我倆。

每個人都想捍衛屬於自己的東西。最後這幾個字我一定講得很大聲，因為蓋布利歐回了「還不夠周嚴」，並攤開緊握的拳頭，給我看那捲鬆脆的綠色鈔票。

蓋布利歐。我覺得他不是這種人。要不是我依舊感覺格雷的手在大腿糾纏，要不是嘴唇還在顫抖，我可能會為了人家收留我們、他卻偷東西恩將仇報的事感到更不快。

「這些付巴士票應該夠了，這樣妳就不用躲在另一輛貨車的後車廂了。」蓋布利歐等遠離餐館後說。

直接躺在貨車後車廂面對不適的戒斷狀態，對他來說其實比較輕鬆。但他是為了我才捨棄貨車，因為他知道我有多怕幽閉空間，也明白即使要我重溫這種經歷，我也在所不惜。突然有種我無以名狀的感覺浮上胸口，同時教我歡喜、虛弱、又反胃。

遠處的警報器停了。格雷當然知道沒人闖進他家餐館，就算想追我們，也沒體力。

我們沿著一條亂石路走下坡，來到一座只被昏暗街燈照亮的沉睡小鎮。每棟房屋都看似完整無缺，庭院沒有雜草叢生或覆滿污泥。這只是再次證實我的信念：此地的居民只有第一代。我以此說服自己不會有採花賊在這裡開廂型車擄人。儘管如此，車子經過時，我還是忍不住倒抽一口氣；蓋布利歐問我怎麼了，為什麼停下腳步。我只是說我沒事，要他安心。

「我比較擔心你，現在覺得怎麼樣？」我說。

「很累，但沒那麼糟。」他抱起拖著腳走路的瑪蒂，但她不願讓他抱，他索性任她去。

「還有幻覺嗎？」我問道。

「我一直在暗處看見毒蛇。」

毒蛇。在我被下藥、精神錯亂的高峰期，沃恩總會化身為蛇。不過這大概跟沃恩本身的反派形象比較有關。有次颶風來襲，我跟沃恩、林登和姊妹妻躲進地下室。我正要入睡時，遠處說話的沃恩竟化身為一隻巨蟲，大概是蟋蟀吧。即使沒有毒害，卻仍教人心神不寧。只要他一跟我講話，我就感覺有蟑螂在脖子上爬。但這也沒什麼好意外的。沃恩對我來說一向沒有人性。

想到這裡的同時，我們也找到了巴士站。這是碩果僅存還有燈亮的樓房之一，我不去想暗處裡有什麼，蓋布利歐也沒說他看到什麼蟄伏其中。對此我很佩服。

他在官邸裡應該凡事順從，而他也按著規矩走，機械式地照表操課。然而，在溫馴的表面下總有叛逆的驚喜，藏在他帶給我的六月豆鮮亮的包裝紙中；我在颶風中從燈塔墜落，也是他張開雙臂接住我的。我始終相信他其實比在官邸時的壓抑拘束更勇敢。

如今我們踏進巴士站，霓虹燈提醒我，他的膚色有多蒼白，也使我發現他眼睛底下的瘀傷。我覺得自己至少可以看牆上發光的地圖，找到最快離開這裡的路線。「你坐著吃東西吧，紫羅蘭的包裡還有薯片什麼的。」我對他說。

「薯片什麼的，真美味。」蓋布利歐挖苦地說。

但他沒走，只是看我用手指順著地圖的綠線移動，就像在官邸時，我一邊用手指拂掠毛毯，一邊與他分享我幻想中的美好世界。那個時候我對外面的世界還懷抱希望。

「你怎麼不休息？」我問他。

「那妳怎麼不休息？」

「什麼？我嗎？我很好啊。」我噘起嘴，努力研究城市名稱，卻發現它們都長得一個樣。不知怎地這些文字竟成了無字天書。

蓋布利歐把手搭在我肩上。「萊茵，承認吧，妳並不好。」他說。

「哪有？」我一開口牙齒就開始打顫。他把我轉過身，和他面對面時，我用力嚥下唾沫，並深吸一口氣。「我好得很。真的。只是需要思考。」

他拂去我臉上的頭髮。「承認吧。」他的嗓音如此溫柔，突然令我感傷起來。我頭蓋在他肩上，他把我摟進懷裡；我膝蓋一軟，但不要緊，因為他撐起了我。

「沒事了。」他低語道。我的唇輕拂他的脖子，感覺他的汗水，嚐到從他身上滲出的高燒和生病氣息。這全都反了。我該安慰他才對，不是他安慰我。但發抖的那個人卻是我。撲簌簌落到他衣領的，也是我滾燙的淚水。

他輕揉我背，對我輕聲細語，他的唇正對著我的耳朵蠕動，話語嗡嗡響，搔得我好癢。

「沒事了，我再也不會讓任何人那樣碰妳，不會的，絕不會。」

「蓋布利歐……」我一開口便泣不成聲。

「我知道。」他的嗓音在我聽來低沉而撫慰人心，但同樣警告意味濃厚，或許有什麼危險的東西試圖溜進我倆的懷抱間。也許他仍能看見毒蛇幻象。

我抽抽答答地哭。當我身體的震顫轉移到他身上，他的嗓音透露的痛苦騙不了人。「我知道，萊茵，我知道。」

那個男人伸手碰我的感覺，怎樣都揮之不去。我不斷感覺他把指尖插進我大腿。但駭人的不只如此，而是他說的話，如此深埋我的腦海，教我無法忘懷：妳將會化成灰燼。

珍娜即使在九泉之下也這麼了解我。她在許久前叫蓋布利歐照顧我時，怎會知道此時此刻我最需要的，正是他的照料？

第十五章

天亮沒多久，我們搭上一班開往賓州的巴士。我們的錢也夠之後轉搭巴士到紐澤西，然後再從那裡到曼哈頓。早在巴士來之前，蓋布利歐就把交通資訊說給我聽，但直到此刻家鄉的地名仍在我腦海裡迴蕩。像是禮物，像是遙不可及的事物，我不敢相信我們竟然如此靠近。

我挑靠窗的座位，蓋布利歐坐靠走道的座位，瑪蒂則擠在我倆中間。我口乾舌燥，強忍笑意，卻還是感覺笑意在身體裡作祟，使我臉上和脖子的每根神經變得緊繃，讓我頭暈目眩。曼哈頓，我的家。發動中的引擎在我腿底下輕震。

我越過瑪蒂，頭倚在蓋布利歐肩上時，他說：「我先來看守吧。」

「好。」我嘴巴這麼說，卻猜想就算眼皮愈來愈重，大概也難以成眠。

我沒夢見宅邸、格雷，或牆上有鬼魂出沒的藍花壁紙。我夢到巴士停了，當我踏出車門外，只見人山人海。不是第一代或新一代，而是人：孩童、青少年、青壯年、成人和老年人。彷彿二十一世紀剪報上的照片活了過來。

我感到手裡好像握著什麼，於是低頭一看。是安娜貝爾的塔羅牌：世界。全世界。

不過，有什麼事不太對勁。我找不到羅恩。有個可怕的念頭閃過腦海：搞不好沒人跟羅恩說世界已得到解救，畢竟我手裡握的就是鐵證。太遲了，有個聲音告訴我，妳太晚來了。

正當人潮退入黑暗之際，我認出了那個聲音，卻沒及時叫出那個字。

「媽？」

我的眼皮自動睜開，日光刺眼，令人反感，我用前臂護眼遮陽。「這是哪裡？」我咕噥道。

蓋布利歐沒馬上答話。他稍微屈身向前，注視把頭懶洋洋地靠在他胸膛的我，撥去我眼前的幾綹頭髮。我重問一遍。

「只想確定妳是真的醒著，因為妳說夢話。」他說。

「是嗎？」

「妳最近常說夢話。」他說；不知為何，他面露不快，隨後把頭往後仰，所以我看不見他的臉。他用手指梳我頭髮，我閉上眼，在他的觸摸和車子的引擎聲中再次安然入睡。等他回答時，我早忘了我的問題。「妳想要的話，可以再睡久一點。」

「等等換我看守，謝謝。」我咕噥道。

他的指尖隨著引擎的節奏輕叩，伴著脈搏和精力，令人感到溫暖活躍。我聽著巴士上的人聲半夢半醒，有時夢見人臉，街道上的路標瞬眼即逝，我來不及辨別上面的字。

我夢見自己當前身在何方，前方的目的地又為何。我沒夢見曾經去過哪裡，或離開了什麼地方。我告訴自己，這是我被擄之後一直渴望的，我該為此慶幸。

儘管空虛感很惱人，我仍該感到慶幸。

到了賓州的巴士站後，我跟瑪蒂到女生廁所方便和盥洗，但隨後就和蓋布利歐會合。蓋布利歐在門外等我們，雖然一臉倦容，但不至於精疲力盡。我們坐在塑膠椅上等待下一班巴士，一面吃薯片，一面喝溫熱走味的汽水。

「你感覺怎樣？」我問道。

「應該還可以，頭有點痛，背也是。」蓋布利歐說。

「因為你太緊繃了，肌肉很僵硬。」我說。

「我知道。」他說。但他還有事瞞著我——我在他胸膛酣睡時他所忍受的恐懼，如幻覺，或者更多他跟珍娜妻共享的祕密，或者更多我不該知道的事。

他咀嚼薯片的同時，我搜尋他的雙眸。只見鮮亮青春的一片綻藍，是那個每天清早帶六月豆給我吃的男孩，絲毫不見天使之血劫持他的黑暗跡象。可是當我往紫羅蘭的袋裡一瞥，卻看見那瓶液體依然安在。

上了巴士後，車子還沒發動，蓋布利歐就睡著了。他就坐在我旁邊，頭靠在我肩上，嘴唇倚著我的脖子蠕動，發出無聲的辭彙。「做個好夢。」我低語道，但願他能聽見。我想像這份祈願如薄霧進入他的夢魘，將怪物繚繞再狠狠束緊，把它們炸開、化為烏有。

「萊茵，妳看。」他低語道。

我們前面的座位沒人坐，所以瑪蒂玩了個遊戲：用膝蓋勾住椅背，像蝙蝠一樣倒掛。有幾個第一代的乘客面露不悅地盯著她，但至少她能自得其樂。我能感到他們在瑪蒂、我和蓋布利歐身上所烙印的污名。因為我們年輕，因為我們大限將至，好像在這個世上誕生是我們的錯。

儘管如此，我還是不想引人側目，畢竟沃恩有能耐千里迢迢跑到姨娘的嘉年華找我。

「瑪蒂，過來跟我一起看書。」我說。

我們一起讀她那本破爛的童書，之後再看前座椅背袋子裡的小冊子。一起讀從高檔飯店距離水岸有幾哩路，哪裡又能享用頂級海鮮。不過讀到最後也失去新鮮感，索性回過頭來看書。但是這次瑪蒂把書翻到蠟筆草寫字的那頁，意有所指地勾勒每個字母。G-R-A-C-E L-O-T-T-N-E-R。接著翻面，循著藍色草寫字描了一會兒，然後勾勒其他字。C-L-A-I-R-E L-O-T-T-N-E-R。我凝視地址，那裡離曼哈頓我家那一區只有幾哩遠。以前那裡好像叫作皇后區。不過這可能只是巧合。這八成是本二手書，大概是姨娘的哪個客人付不出現金，拿給紫羅蘭抵買春費，用來交換她的肉體。

但我還是問道：「瑪蒂，她是誰？」

她當然沒有回答。

巴士才剛停，煞車還在尖聲長鳴，我就把蓋布利歐搖醒。「到了。」我很猴急，好像現在不跑下巴士再跳上另一輛，我們就永遠離不開這裡。下班巴士會直接把我們載到曼哈頓。曼哈頓，光想到這個地名，我身上的每條神經就又是發冷、又是刺麻，我也不由得打了個寒顫。我可以感覺自己頸背的汗毛直豎，不記得上回這麼亢奮是什麼時候的事了。其他夾雜在狂喜氛圍的情緒，我也置之不理。過去這一年來，有些幽暗的擔憂鬱積在我心中，揚言要把我的亢奮轉為焦慮，把我的希望化為恐懼。「蓋布利歐！」

起初他重拍我一下，嘀咕道：「好啦，我聽到了。」

「抱歉，對不起，但是我們必須下車了。下班巴士十分鐘後就要開了，這裡只是停靠站。」我說。

「什麼是停靠站？」他問道。我們在走道上曳步前行，他打著呵欠，我則努力按捺把他往前推的衝動。

「不知道，我爸媽都是這麼叫的。也是休息站，有洗手間、小吃部。」

不過蓋布利歐對食物興致缺缺。我們站在室外等下一班巴士，我設法哄他喝一點汽水。

他發抖的手把汽水罐握得咯咯響，於是我伸手包覆他的手，好握穩罐子。

這應該是戒斷狀態的最後階段了，微微打顫代表他血液裡殘留的毒物。我正準備提議把留在包包裡的瓶子扔掉時，巴士來了。吱嘎作響、嘶一聲停車，車門向我們敞開。我比誰都先上車，等蓋布利歐往我旁邊一坐，早已入座的我把拳頭塞進跟著車身震顫的雙膝之間。

天色已晚。巴士裡充斥著刺眼的黃光，我們彷彿走進了鹵素燈。蓋布利歐瞇著眼，他膚色變得古銅，手指順著前方座椅的弧度摸，手臂上的汗毛綻放白光。他把下唇夾在齒間，使它再次展露血色。臉上的褐色汗毛捲曲，像是我自己頭髮的嬰兒版。

我看他移動手指，一開始拂過座椅邊緣滑動，然後離開座椅，畫出形狀、繪製路線。

「你在哪裡？」我輕聲問道。

他回答：「航海，這裡是歐洲的水域。」我湊到他身邊，下巴靠在他肩膀上看。「這是北海，然後這是德國。」他的手指一路往下滑。「這是瑞士的阿爾卑斯山。」

他在回憶林登的地圖集。我之所以知道，是因為他神色恍惚，但沒有迷失在毒品中，而是心神嚮往。如同我在幻想世界的原貌，和它理應展現的樣貌時那般的癡迷忘我。

「我正沿著萊茵河走。」他說。

「我也與你同行嗎？」我問他。

他的表情不再專注，轉頭面向我，而我抬起靠在他肩上的頭。「妳無所不在。」他說。

「因為再也沒有德國，再也沒有瑞士的阿爾卑斯山了。」我說。只有支流注入波濤洶湧的海裡，一如蓋布利歐說的：無所不在。

我們誰也沒睡覺。老是坐不住的瑪蒂開始在座椅底下爬，就像她在姨娘的嘉年華那樣從一個帳篷爬到另一個帳篷，從果園偷莓果，咬恩客的腳踝。

我跟蓋布利歐完全沒有阻攔。她已失去母親，被人拽著到處跑，覺也睡不好，躲在暗處一次就是好幾小時，這些她都默默承受。我有預感，要是剝奪她這唯一無害的自由，她應該會大發脾氣，但這也怪不得她。因此，其他乘客的惱怒對我不具意義。有些人似乎並不在意她；他們說「小朋友，妳好」和「好特別的絲帶啊」，因為瑪蒂從廁所抽了一段衛生紙，把它做成一朵寒酸的花戴在頭上。

我努力別想曼哈頓，不然這趟旅程會變得更漫長，要我坐好只能這樣。我索性回想蓋布利歐翻啟林登的地圖集。法國、盧森堡、比利時與荷蘭，好似一道階梯，沿著英吉利海峽和北海彼此攀爬。那些平面的插圖怎樣也無法完整呈現曾經在地球上有一席之地，如今卻只成一片汪洋的國家。

不知怎地，我想起既是詩人又是夢想家但正職是科學家的媽媽。她用銀鏈串了個葡萄大小的木頭地球儀戴在脖子上，那是我爸雕給她的。她彎腰吻我道晚安時，小地球儀會晃過來輕擊我的下巴。

我憶起她把燒杯拿到面前，眉頭緊蹙、撐大、延展的模樣。她埋首工作、充滿熱忱，有時眼眸會轉為不同深淺的藍色。我記得老為她擔心，怕她有時太躁進或太難過。她脖子上掛著的地球儀確實承載了她渴望拯救的世界的重量。我還記得有次發現媽媽坐在樓梯底階，她凝視著雙手，像是它們辜負了她。

瑪蒂從我們的座椅下爬出來，終結了我的白日夢。她爬到我身上，一邊用膝蓋爬過我的大腿，一邊用手肘撞我肚子，鑽進窗戶和我之間的縫隙。假如我不瞭解她，或許會以為她同樣處於亢奮中。

要說服我哥接納瑪蒂得費很大工夫。他一定想把她送到孤兒院，但是她有畸形兒的外觀，所以這麼做形同對她宣判死刑。他會說瑪蒂不是我們的問題。不過，話說回來，或許他一見我便喜出望外，會決定這件事就這麼算了。

又或者他會為我的消失大動肝火。我們兄妹倆從沒分開這麼久過，我不曉得他會作何反應，也不曉得過去這一年對他造成什麼改變。光是想到我在過去這一年有多少變化就令我心驚。

「我們會幫妳想辦法的。」我對瑪蒂說。她用手指輕彈嘴唇，面無表情地望著我。接著她別過頭，雙手貼著玻璃窗，望著我們搭的巴士上橋跨海。曼哈頓在遠方，一片灰濛濛的，宛若正要冒出頭的思潮。

第十六章

巴士抵達車站時天色已暗，這個車站比先前停靠的地方更為污穢。沾滿飛蛾翅膀的霓虹燈在垂死掙扎。此處不斷能聞到隱約的海水味和廢氣，貨運車也隆隆駛過黑夜。以前我哥在白天也開貨運車。不曉得現在還開不開？

路上當然也有別的車子，只是我不願去細想。

我掃視牆上的地圖，果然離家不遠了。家，這個字使我燃起無窮希望，這希望大到我不敢大聲將它說出口。「今晚就能到了」是我唯一能說的話。

可是蓋布利歐持反對意見。我們的盤纏還夠，能在巴士站對面的汽車旅館住上一晚，它那霓虹燈的汽字在閃爍，館字則是全暗。他說這雖然不是最佳方案，但總比我們在夜裡冒險安全。言盡於此就可以了，我知道在外遊蕩有多危險。

我夜不成眠。瑪蒂躲在雙人床下，拿手電筒照明看書。

我坐在窗台，看燈塔的微光掃過水面。從蓋布利歐的呼吸聽來，我知道他沒睡著；但他只是躺在黑暗中不發一語。我知道他累癱了，一直保持堅強，免得我崩潰。

「妳該睡了，還是有心事？」像是過了一小時，他才對我低語。他坐起身時床墊吱嘎作響。

我有許多心事。我哥、他的狀況……令人作嘔的恐懼感揮之不去。我莫名地覺得自從我媽去世之後，原本懸在她脖子上的「世界的重量」也已傳承給我。

我不曉得這些事該怎麼解釋才說得通，或許它們本來就沒道理可言。所以我一聲不吭，到蓋布利歐身邊躺下。我們沒鑽進被窩，因為床單感覺大有問題，只用多餘的衣物當被子。

他漸漸入睡，氣息轉為平穩。我默默聽了一會兒，他一喘不過氣或揮動手腳，就教我揪心；不過他做的夢應該稱不上夢魘。我側躺著輕撫他的手臂一會兒，發現他的肌肉已不再緊繃。最後我也躺好閉眼，當我睜開雙眼，才驚覺已然天亮。蓋布利歐讓我先沖澡，我轉開旋鈕，水龍頭顫動，流出黃水。自從當了林登．艾許比的新娘將近一年，全像投影和燦爛花園之外的世界就不再清晰。唯一在閃耀的，似乎只有我的婚戒。

不過這裡就是家園，我雖就著涓滴細流勉強洗頭，不過面帶微笑。

汽車旅館離我住的社區近到步行即能抵達。風大天冷，但起碼不至於天寒地凍。蓋布利歐問我為什麼雪是灰的。「這不是雪，是從工廠跟火葬場吹出來的灰。」我告訴他。

或許我不該把出處交代得這麼坦白，因為他臉部肌肉抽搐了一下，又被我發現他正拉高衣領，像是想拿它作口罩。「吸進去會不會出事啊？」他問我。

「習慣就好。」我向他保證。

「外面的人都吸灰？那我真是什麼都見識到了。」他說。

「不，才怪，還差得遠呢。快點，這裡我熟得很。」我勾起他的胳臂，把他拉到能眺望河水的混凝土平台。瑪蒂肚子貼著欄杆，張開雙臂，將完好的那隻手伸到水面扭動手指。

「以前我總是跟我爸來這裡，我哥也是在這裡教我釣魚的。就在這裡。」我說。

河水灰濛濛的不甚體面，八成不像那天午後我邊躺在床上畫圖，邊向蓋布利歐敘述河景的樣貌。從他的眼神看來，我知道他興致缺缺。

我告訴他：「這條曾經是東河，那是一百多年前的事了，後來附近有大片土地遭到侵蝕。」

「現在只剩大西洋了？」他問道。

「對。」我說。熱愛船隻和航海的蓋布利歐困在宅邸，只能從各種過時的地圖擷取知識。一百年前我們的國家有比現在將近兩倍大的國土。有的被戰火摧毀，但多半因天災而喪失，土地漸漸毀壞，沉入海底。但我沒將這陰鬱的歷史轉告給他，而是把一尊矗立水中央的雕像指給他看。全身淺綠色的女人，頭上戴著尖釘皇冠，手裡拿著火把。

「這是自由女神像，如果你把五塊錢投進望遠鏡，就能看個仔細。」我說。

蓋布利歐遠望自由女神像時眼神變了。「這我以前看過。」他說。

「在書上嗎？」我問道。

他又瞧了一會兒，然後搖搖頭，甩掉他迷濛的眼神。「一定是的，大概在孤兒院吧。我對那個時期的印象不多。我被送去拍賣會的時候年紀還小。」

他九歲那年，孤兒院決定把他送去拍賣會，賣給出價最高的買主以換取收益，這樣他的餘生都將為人奴役。雖然年紀小，卻也超過他壽命的三分之一。

瑪蒂抓起我的手，把我拉離河水；或許是因為她發現我愈加鬱鬱寡歡，又或許其實對此渾然無所覺。我們加緊腳步的同時，我對她訴說漏斗狀工廠冒出的滾滾黑煙，工廠是怎麼生產東西的，從塑膠到精煉的鐵到食物，什麼都能變出來。沿路的樹木枯瘦，種類也只侷限於人行道上的雪松林。不是官邸嬌豔的橙花，也不是玫瑰園血紅的花瓣，儘管如此，我依舊想念。我想念空氣中的銅味。想念樓房的地平線。到處都是樓房，有的是拔地而起的工廠，有的是公寓，有的是互補相配的頹倒磚房。眼前是一張墨色的城市寫真。

我爸的藏書裡夾了些年代久遠的明信片，那些是二十世紀從哈德遜河取景的曼哈頓城市風貌。背景全是落日餘暉，建築物的角落像是著火一般地閃爍，窗戶宛如電路板發光，什麼都靠得很近。我爸說那是一座不夜城。後來有張明信片對著同樣的城市風光取景，在午後的迷霧中，看起來沒那麼完整。雖然它仍是我想像中最繁忙擁擠的城市，實際上只是那些舊照片的幽魂。

我們在下坡轉彎，那裡有個磚頭坑，在爸媽小時候，那裡曾有一間教堂。這時我能感覺焦慮在我胸口打結。老家的那條街就跟我離開時一模一樣。依舊可見殖民時期的藍綠色房屋，和它倒塌的門廊；還有那棵高大的橡樹，住家最小的男人老把他那隻愛吠的牧羊犬綁在樹幹上，以為這個小傢伙能嚇阻小偷。還有那位鄰居小女孩住的三層樓磚房，她的窗戶跟我的近到只要兩人伸手就能碰到彼此。

沒錯，她家隔壁，就是我家。

一見到老家，我就暫停呼吸。一開始欣喜若狂，後來才領悟現實。因為那不是我家。它只是燒黑的骨架。窗戶不是破了，就是抹了褐色塵垢，模糊不清。

我什麼都做不了，只能呆望著它。呆望著曾經為我家遮風蔽雨的骨架。大門不見了，以前我每天早晨和傍晚都會數「一、二、三」的台階，如今淨是玻璃和黑色碎片。

不會吧。應該有更多顏色才對。然後我確定是我搞錯了，因為焦黑變成了亮白，接著我又在轉瞬間看見了磚頭的顏色、窗戶裡的粗麻布窗簾，屋子像是吸氣似地抖了一下。

我感覺腿一軟，幸好有隻手抓住我的胳臂，我才不至於迎頭撞上撲面而來的路面。

什麼冰冰涼涼又有彈性的東西在輕拂我的臉龐。我眨眨眼，原來是瑪蒂拿一片濕葉子順著我的下巴滑，這是她從我媽在廚房窗戶底下種的其中一株萬年青拔的，那些植物全都挺過惡劣的環境活了下來。它們不像花朵那麼容易凋零，幾乎哪裡都種得起來。我哥說這種隨種隨長的特性跟野草沒兩樣。但父母過世之後，就連他也沒那個勇氣將它們連根拔除。

我坐在台階頂層——早晨的第一階，傍晚的第三階——凝望瑪蒂如夢似幻的藍眼珠；畫眉鳥撲翅而逃，急著飛越天際，世界漸漸重新聚焦為我從小長大的熟悉街景。烏雲密布的天空，了無生氣的樹枝隨著二月疾吹的冷風顫動。

我發出呻吟，將腿伸直，手掌貼著陣陣抽痛的額頭。

「小心，有玻璃。」蓋布利歐說。

「我剛暈過去了。」我說。本打算說個問句，卻連詢問的音調都發不出。

「暈了幾分鐘。」蓋布利歐揉我肩膀，像在努力促進我的血液循環。他幽暗的眼底寫滿擔憂。

「不該是這樣的。」我說。

「喏，喝點這個。」

「我……」

「糖水會有幫助。」他把一罐汽水伸到我面前，但我只是盯著它看。

「我搞不懂，怎麼會……」我沒把這個念頭講完。話語在我身邊急顫，在我周遭迴盪。

怎麼會，怎麼會，怎麼會……

蓋布利歐就著我唇邊傾斜罐口，我一度哽咽，然後強迫自己喝下。

我任糖分和卡路里在體內蔓延，讓體力回復，思緒回流。這得花點工夫，但我說服自己轉身回望老家。它崩壞得面目全非，就連百年歷史的長春藤印痕都已不復在。

「哦，羅恩，你做了什麼？」我低語道。

我仔細踏步，驚擾到蟑螂，牠們四散開來，窸窣地爬進陰影中。廚房裡只剩那張柔和的橙色壁紙，還沒剝落的亞麻仁油地毯都被燒焦了。我的鞋尖踢到一個空罐子，它滾到一堆灰燼中。

不，不是灰燼。是紙張。

我往門框邊塌皺的小紙丘一蹲。它散發汽油的臭味，旁邊牆上黑色的橢圓形污漬讓我確定這裡是起火點。我亂掀紙張，尋找還沒燒毀的，還沒在我手裡崩裂成灰的，最後終於找著了。我把它攤平，讀字跡潦草、超出線外的文字：

雜交的花
纖毛
蛋殼與氯仿
妹妹的主意
溫室氣體
媽媽的雙手
一百天

仍無任何徵兆

破碎的紙片宛如狂人雜亂無章的一首詩，彼此相互堆疊。其餘的內容被洩氣的手劃掉；鋼筆差點要把紙給刺穿。

「我哥寫的。」我說。

蓋布利歐蹲在我身旁看。文字對我倆而言毫無意義，但對我造成的影響卻比他還要大。因為這只是幾十張的其中一頁，也許把每頁從頭讀到尾就能找出故事的脈絡。問題是我永遠不知道有沒有這個可能。

我哥放火燒了這些文字。他以為我不會回來了，所以沒留隻字片語給我。

我感到頭暈，毫無知覺地任蓋布利歐攙扶我的胳臂，將我扶好站穩。這裡沒地方可坐，於是我靠著他，環顧屋內。這裡沒有什麼要給我的。看門檻的另一端，只見客廳也是一片狼藉。

「也許是有人縱火，所以你哥不得不撤。」蓋布利歐說。

我知道他想讓我好受一點，問題是我精疲力竭，那些虛幻的期望根本聽不進去。「不，我確定是他幹的。」我說。只要是捍衛自己的東西，我哥可說是冷血無情；有年冬天他讓一個死掉的孤兒躺在我家陽台好幾天，就是為了警告闖空門的宵小。他絕不會在違背他意願的情況下離開這棟房子。「他沒打算回來，也以為我不會回來了。」

「但為什麼要放火燒房子？」蓋布利歐問我。

我沒有答案。

關於母親的回憶，此刻裹在光環中浮現腦海，藍藍亮亮的。她用風箏線在廚房窗口吊起藍色玻璃鴿，那算是一種風鈴。她以悅耳的聲音，對著坐在櫃子上從指間吹肥皂泡泡的我輕輕說：「一定要照顧妳哥。他不像妳那麼堅強。」

我還記得當時聽到這番荒謬的話時，我忍不住咯咯笑。羅恩比我堅強。他當然比我堅強。從小到大他都長得比我高，可以彎折樹枝，讓我摘金秋時節的葉片。他可以抓穩釣竿，即使上鉤的魚再怎麼掙扎，他都不放手或讓牠溜回海裡。我把這些事告訴母親，她聽了之後跟我說：「親愛的，那是不一樣的堅強。你們的堅強展現在不同的地方。」

劇烈的吱嘎聲把我從沉思中喚醒。我發覺那是通往地下室的最後一塊地板。

「瑪蒂，等等！危險！」我叫道。但她已拉開房門，沒入黑暗中。我跟蓋布利歐緊跟在後。瑪蒂手裡依舊握著旅館那支手電筒，一邊走一邊揮舞。令我驚訝的是，這個看起來像是被人遺棄的地下室，其階梯居然還能承受我們的重量。

一階、兩階、三階、四階。我每走一階就天人交戰，不知該不該懷抱希望。不知走到最底層時，會不會有什麼在等我？羅恩是不是還待在家？然而，最終我想知道媽媽為什麼要跟我說那些話。當年我一定還年紀小，因為我還記得自己赤腳伸進廚房流理台，水龍頭的水流過腳趾之間。還有烘焙的香味，以及斜射的日光下，牆壁看起來有多美。

羅恩的字條在我掌心沙沙作響，我把它摺起來塞進口袋。

蓋布利歐圈住我的胳臂，八成以為我又要昏倒了。瑪蒂揮舞著手電筒，走到階梯底端。我出於本能地伸手拉繩，想把吊燈打開，但不用說也知道根本沒電。

我拿手電筒往外照，最初照向地下室的角落，只見吊床依舊在。我跟哥哥曾在這裡每小時輪流休息，確保彼此平安度過黑夜。接著我鼓足勇氣，把光束移向小冰箱，沒電的它空蕩蕩地敞開門。我把光掃向另一處角落時，沒想到竟會發現比空無更令人心煩意亂的東西。

老鼠，幾十隻老鼠倒得到處都是。有的仰臥，有的側躺。有的倒在血泊中，有的腐爛到幾乎化為烏有。全都死了。四散在屍體間的，是植物腐壞的莖和凋謝的花瓣。我嚇到甚至沒聽見蓋布利歐的反應。

我哥自己調製毒物解決鼠患，但就我的經驗，一次頂多只殺死一、兩隻。這裡還有花。枯萎的百合好像蚯蚓。那些都是媽媽在花園種的。每到春天我就會拿我從曼哈頓各大市場買來的種籽試種，假如哥哥到別州送貨，順道在花店買了種籽，我也會想辦法栽種。

我唯一不敢試種的，是媽媽收進囊袋、置於梳妝台抽屜的種籽。那些種籽屬於她一人，我覺得我無權栽種。我還記得我將它們夾在她的一本筆記簿中，跟其他我和哥哥不希望遭竊的東西一同埋在後院。

後院。我移動手電筒，直到它照亮擱在樓梯後方的鐵鍬，然後匆匆跑上樓。我急忙穿過客廳，盡量對爸爸的書桌和藤椅視而不見，因為如今它們變得不堪入目，也對仍舊看得出雛菊印花、只是不那麼明顯的沙發視若無睹。

等蓋布利歐追到後院時，我正使出吃奶的力氣拿鐵鍬掘土。儘管他不確定要找什麼，卻還是幫我一起挖；從泥土被翻攪的外觀看來，我知道東西已經不見了。

第十七章

我們掩埋的行李箱裡，有些東西我哥沒有帶走，大概因為太多了帶不動，又或者因為他覺得那些東西沒用。衣服；爸媽的實驗室外套；爸爸的眼鏡；我小時候做的、飛不起來的紙風箏；講戰爭或男女私情的泛黃舊書；爸爸的二十一世紀地圖集。

我草草翻閱童年的物品，和爸媽在工作之餘偶爾閱讀的書，對於隨著塵土飛揚的回憶與沉痛，我選擇忽視，因為目前我要找的東西更迫在眉睫。

「妳在找什麼？」蓋布利歐問道。他幫我小心翼翼地攤開衣物重新摺好，檢查珠寶盒，但發現裡面空空如也。就連媽媽的地球儀項鍊也不見了。希望我哥沒變賣項鍊跟戒指求現，只是在這個節骨眼，心存希望似乎很愚蠢。

「種籽，我媽的百合花種籽。」我說。

瑪蒂在距離我們幾碼的地上研究被遺棄的螞蜂窩。

「也許我們把東西移來移去的時候弄掉了。」蓋布利歐說。

「不，種籽不在這裡。我爸媽的筆記簿也不在，之前我就是把種籽夾在裡面。」我說。

話雖如此，每樣東西我還是搜了第二遍、第三遍，最後除了地圖集，其他的我全都放回洞裡。蓋布利歐從我手中接過鐵鍬，將我爸媽的遺物埋回去，我沒有反對，畢竟這樣我就不用親自動手了。我只是不爭氣地杵在原地，手指反覆撥弄地圖集的邊角，按捺如子彈般向我發射的情緒。最好什麼感覺也沒有。最好什麼也不想。

但回憶卻趁現在湧上心頭。

她正在烤蛋糕，因為那天是我跟羅恩的生日。我們的九歲生日。流理台的另一側堆滿碗盤，我也正在幫忙清洗。我們剛吃完晚餐，羅恩滿嘴是食物，轉身面向我說：「明年妳就要邁向中年了，可是我還沒。」起初我以為他想跟我比賽，但他後來迴避我的目光，我這才知道他很難過。

他上樓洗澡，媽媽掛起青鳥，然後跟我說：「你們一定要照顧彼此。」照顧彼此，這是我們兄妹倆最該做的事。我幾乎要相信爸媽生雙胞胎不是偶然，而是別有用意，這樣我們才能實踐那項承諾。

可是我沒堅持到底，對吧？我拋下羅恩。我不知道他人到哪裡去，他也不曉得我怎麼了。我倆唯一知道的，大概就是對方不會回來了。

這個人有些陰暗面，就連妳都不願對自己坦承。這是安娜貝爾在我面前掀塔羅牌時對我說的話。親生哥哥有些事，連我也不願對自己坦承。

我呆望著自己在泥地挖的洞，土壤已早被哥哥掘鬆了。

「他以為我死了。」我低語道。

蓋布利歐開口說話，可是他的嗓音宛如從水底傳來，我聽不懂他說些什麼。我只聽見自己的脈搏，感覺血液好似忽冷忽熱的浪潮。

爸媽去世之後，哥哥就以求生為最高原則。他很盡責，不讓我在絕望的無底洞裡消沉太久。他為我倆打造的日常慣例就是幹活與求生。在他設法讓我活下去的同時，我卻始終沒有發現，我也是他求生意志的源頭。他需要我，就跟我仰賴他一樣。

少了我，這項日常慣例就會崩解。

我不願放棄希望，相信即使少了我，他還是能好好活下去，每天醒來、喝茶、工作到下午、擺放陷阱、在我們的吊床上睡覺。但是我離開太久了，而飛揚的骨灰每天都如巨浪般地飄出焚化爐。

他放棄我了。還有什麼能凝聚他的信心？這個答案跟他留下的東西一樣，一無所有。

思緒在我眼前疾馳。我跑回室內，腦裡閃過一個念頭：*每個角落都要搜仔細*，不可能什麼都翻遍了，不可能。樓梯被我踩到抖呀抖地吱嘎作響。樓上被人放了另一把火，烈焰吞噬了每扇門，也燒焦了牆壁。雖然打從爸媽死後，這些房間就沒人住了，但如今它們顯得更空蕩，如火山口般焦黑。一無所有，更多的一無所有。

我不曉得我在這裡喘著氣地站了多久。我等待淚水決堤，偏偏一滴也流不出。

「萊茵？」蓋布利歐準備跟隨我的腳步上樓。

我一邊說一邊下樓。「不用了，上面沒什麼好看的。」

他想用胳臂摟住我，但我走在他前面，逕自穿過燒焦的門口，走進破敗的院子。我感覺到我內在某個幽深的部分正在顫抖。我的腿大概快撐不住了，索性就這麼跌進長草中。無依無靠的感覺又鋪天蓋地而來。

蓋布利歐很體貼，坐在我身旁時什麼也沒說。遞汽水給我，我不喝，他也沒勉強我，任時間慢慢流逝，我們看瑪蒂在枯萎的長草中自得其樂。事實上，直到天空快要布滿雨雲，他才開口問：「現在呢？」

我把頭靠在他肩上。「你一定覺得我蠢斃了，竟為了這個離開官邸。」我說。

他嚥下唾沫，我離他的喉頭近到可以聽見吞嚥聲。「一開始我不能理解。」他坦承道。

我閉上眼。不用提醒自己別做官邸的白日夢，因為此時此刻我什麼都看不見。

蓋布利歐說：「後來珍娜到地下室找我聊，她跟我說，儘管發生了那麼多事，如颶風啦、展覽啦，妳還是想走，那我不應該讓妳孤單單地走。」

「可是之後你還是想說服我留下啊。」我提醒他。

「我只是不想要妳受傷，或遭遇不測。」他說。我感覺他在換姿勢。「或許妳覺得寧可試了沒命，也比哪裡都去不了好，我還能跟妳爭辯什麼？」

「我覺得試了之後不會沒命。」我說。

「因為妳把生死置之度外。」

「沒錯。」

不過我因而萌生一個新的念頭。蓋布利歐為什麼要跟我走？他被我說服了，還是在珍娜的堅持下，覺得非得要保護我不可？無論是什麼原因，他似乎都不是心甘情願。

「妳也不在意有沒有計畫。」蓋布利歐補了一句。

又有一陣微風撲面而來，只是它似乎也捎來了內疚。我的確有計畫，雖然成功的機會渺茫。

我睜開眼，坐直身子，拂去膝上的泥土。

「瑪蒂。」我呼喚她，蹲在草裡的她抬頭看我。「拿故事書給蓋布利歐看。」

克萊兒．羅特內的地址位於曼哈頓的住宅區。「目前我們在工廠和運輸區。只要過個橋就好。傍晚前就能到了。」

「她是誰？」蓋布利歐問道。

「不曉得。說不定人都不在了。」

但這是我倆最好的主意，總比呆坐在曾是我家的地方聞燒焦味好，於是我們即刻動身。

對我來說，老家的社區已面目全非。我盯著街道，認出更多顯著的裂痕，但盡量什麼都不去想。無奈想是這麼想，做卻難做到。「希望」這種東西就是即使無濟於事，也不輕易喪失。

蓋布利歐在火車站拿到地圖小冊子，我一眼都不用看；老家的街道我瞭若指掌。我認得每棟崩毀的樓房，公園草木枯萎的每個藉口，和海洋的每處彎流。就連海裡的魚、虹彩般的魚鱗、死氣沉沉的魚眼，和被釣魚健身的釣客扔回海裡的毒魚，我都認得。由我領路，他倆跟在後頭，我們穿過巷弄，然後走過通往住宅區的那座橋。

我們漸漸發覺在離橋半哩路的地方聚了一群人。處處可見白色和深藍色的氣球，那是金特立總統家族的代表色。我們繼續前行，這才發現先前隱約的雷鳴已轉為鑼鼓喧天的樂聲。瑪蒂以手摀耳，但騷動喧囂將她苦惱的嗚咽聲給掩蓋。

「怎麼回事？」蓋布利歐用吼的蓋過噪音。他抱起瑪蒂，後者在他懷裡僵著身子，兩眼警戒地咕嚕轉。她發狂似地搖頭，用頭髮遮住整張臉。

「也許是總統要演講了。」我說。曼哈頓的科技先進，總統的新聞發布多半都是在這裡拍攝，挑幾條路封起來給他們場地演講不是什麼稀罕的事。不過我哥會說，他的演講連封一條街都不值得。

喇叭一聲轟鳴拉起閱兵的序幕，我可以從人群中看見鼓手一邊行進，一邊靈敏地在指間旋轉鼓棒。至於總統則站在高高的講台上，巨大的假花布置講台以向春天致意。我還記得有年冬天他的防彈圓頂飄揚著人造雪。除非有圓頂包覆，否則他絕不冒險行動。

今天他身穿鮮葉綠的西裝，蒼蒼白髮上戴著桂冠。

他的講台不再移動。他高舉雙臂。攝影機在垂直的架上逼近人群。

「他關在裡面，我們怎麼聽得到他講話？」蓋布利歐問我。

這個問題我不必回答，因為金特立總統的嗓音馬上就從繫在周遭樹上的擴音器高分貝地傳出並迴蕩。「集會的人好多！」蓋布利歐說。這時其中一個擴音器發出尖銳的干擾聲。瑪蒂氣得脹紅了臉，雙手緊貼耳朵。我試著輕撫她的頭髮安慰她，但她只是猛一轉頭，把臉埋進蓋布利歐的脖子。

蓋布利歐勾住我的胳臂，把我往他那頭拽。在孤兒院和官邸期間，他大概從沒見過這樣人山人海的景象——人潮從每條路向外蔓延，好似巨型蜘蛛的腳。他大概也從沒聽過總統演講。不過這也沒多少損失。說到底金特立總統只是個有名無實的元首，象徵一項沒意義但行之千百年的傳統。美國是一個國家，即使子民像是少了蟻后的小螞蟻到處亂爬，動個不停，沒有止境，美國還是一個必須有元首的國家，

圓頂之下，總統後方是他的九名妻妾，每位都頭戴桂冠，身穿不同色調的粉彩洋裝。其中三位是第一代，年輕一輩的新娘中有四位看起來正處於不同的懷孕階段。她們天真爛漫、心甘情願，從海選名單中脫穎而出。做富豪的新娘、享受豪奢的生活，自有其吸引力，這我明白，但它甚至對從小朝思暮想要嫁入豪門的西西莉造成不良影響。我們的婚姻暗流險惡——宛如置身夢境，似乎怎麼也醒不來。令人不得安寧的是，我的人生好似狄德麗平整攤在我沙發床上的衣裳，只是它再也不屬於我了。

總統說起什麼春回大地、送舊迎新，但擴音器回音不斷，很難把他的話聽個清楚。鼓手全靜下來聆聽。一陣海風飄來，群眾也隨之保持靜默；重新調整擴音器的同時，總統的嗓音變得含糊不清，然後就什麼都聽不見了。

「各位，我們剛遇到技術困難。」總統敦厚地笑著說。我的背後有人在埋怨。

我正準備開口建議蓋布利歐該走了，怎知總統又打開話閘子。

「大家應該都發現了，春天即將到來。」然後他稍加詳述春季萬象更新、生氣蓬勃，他家周圍種的山茱萸都開花了，也期待見到即將出世的兒子，因此想把希望還諸於民。「這就是為什麼，我要宣告曼哈頓運輸區的實驗室重建……不，應該說是重生計畫。」他面帶微笑地說，笑容燦爛到我站在大老遠的人群中都無法錯過。

他想要重建我爸媽以前工作的，那些被反對進一步研究解藥的人所炸毀的實驗室。我跟我哥在放學回家的路上聽見爆炸聲響。腳底下的地面嘎嘎作響，我們手牽著手奔向遠方如巨浪翻騰的濃煙。

那裡有幾百棟樓房，被炸的可能是任何一棟。儘管如此，我們還是覺得凶多吉少。我們抵達時，有些生還者正從瓦礫堆中爬出來。我得像把老虎鉗用雙臂圈住羅恩，求他別加入那些趕往事發現場救援的老百姓。最後，他和我一同待在封鎖線外守候，直到最後一批救援人員撤離才走。那天傍晚稍後，建築物的斷垣殘壁也徹底崩塌。

那起爆炸案不只帶走了我的雙親，也帶走了城市支持科學研究的計畫，讓市民覺得我們別無選擇，只能接受短命的現況，完全拿它沒輒。

新的實驗室。總統說過這麼多話，這是第一句讓我感到希望的。可惜希望轉瞬即逝，因為總統正打算說下一句時，群眾的怒吼將他的聲音淹沒。

蓋布利歐緊勾著我的手臂。有人從遠方拿石塊擊中總統上方的圓頂。不，他們不想再搞研究了。孩子已受那麼多罪，他們不想再盲目擺布下一代了。他們要問的是：我們被宣判死刑難道還不夠慘嗎？

第一代最為義憤填膺，但話說回來，他們也是擁戴自然主義的最大宗基本盤。他們目睹了子女的凋零，也見證科學帶來的後果，所以決意抵制到底。「那裡用來蓋醫院啦！」有人吼道。醫院是種奢侈品，只有有錢人才住得起。不過有的人學過醫，提供自己的家做為臨時保健中心。倘若他們能找到一個堪用的廢棄空樓，或許可以擴大醫療服務。我從沒聽過總統花半毛錢幫忙籌措這些基金。其實又何必呢？何必救一條幾年後就要終結的人命？

「我們該走了。」我對蓋布利歐說。我不確定在騷亂之中他有沒有聽見——樂手開始擊鼓，試圖蓋過鼎沸人聲——不過他已經將我拉走。四面八方都是人，把我們擠得動彈不得，我拉長脖子，從萬頭鑽動中探路。

接著爆炸響起。

我不敢動。蓋布利歐想拖我走，但後來放棄，因為他發現拖不動我。我動不了，在遠處成形的那朵小灰雲怔得我呆立不動。然後又是一聲巨響，再來一聲。有人在炸樹，其中一顆炸彈在我背後炸開，炸倒了擺置攝影機的架子。

人群的尖叫不只源自恐懼，其中也包含了憤慨。如今總統的防彈圓頂上淨是人手，有的又推又擠，有的滿腔怒火地搥打。妻妾在他背後站成一排，全都一臉堅毅勇敢、抬頭挺胸，把手牽得緊緊的。總統不顧爆炸、鼓聲和麥克風的電波干擾，試著發言，可是最終還是放棄了。他的講台開始往前移動，慢慢穿過人群，於是群眾只能爭先恐後地讓路，然後跟著講台走。一路跟到碼頭，那裡有艘渡輪接他出海，然後會有直升機前來將他載走。

爆炸規模不大。看樣子沒人受傷。但當縹緲的煙在人群中四散，我卻一心認為這些爆破只是小意思，接下來還有重頭戲。

等我們終於擺脫騷動的人群，我馬上領著他們往住宅區的方向走。群眾大多移往碼頭，所以我們要推擠穿越的人潮也愈來愈稀疏。不過，群眾裡有超過半數反對重建實驗室，我的家鄉有超過半數的人認為我們沒救了，認為我沒救了。

我的手在發抖，蓋布利歐見狀便與我十指緊扣。如今嘈雜聲遠去，也沒有那麼急迫，所以瑪蒂把摀著耳朵的手放下，對我眨著她貓頭鷹般的大眼，彷彿想要個解釋。

「應該沒人受傷，只是……示威而已。」我一邊說一邊嚥下哽咽的嗓音。

看得出來蓋布利歐正從震撼中平復心情。嘴巴吐出的熱氣化為羽毛狀的煙雲，突顯了他呼吸急促的狀態。「他們，想要抗議什麼？」他說。

「四年多前抗議的民眾以擁戴自然主義之名炸掉做研究的實驗室，他們不想再在孩子身上做實驗、找解藥，因為他們覺得世上根本沒有解藥。覺得人們還是認命就好。」我說。

我不確定還能做什麼，於是邁開步伐，被瑪蒂緊抱胸膛的蓋布利歐也併肩同行。她其實不易受驚，但是我猜就連經歷過姨娘怪胎秀的洗禮，她也沒準備好要面對這些動亂。

「所以他們才要炸樹？」蓋布利歐說。

我刻意放慢話講話的速度再說一次。「就是為了示威，還說如果要重建實驗室，他們照樣會把它炸了。不曉得他們的準備怎麼那麼充足，可能有人事前就知道總統的計畫了。」

「也搞不好是太討厭他，所以不管他說什麼，人們都要炸樹。」蓋布利歐發表意見。

「也有可能，這種事我也見過。」我說。

他搖搖頭，嘴裡咕噥著什麼我聽不懂。頭頂的天際傳來直升機槳葉的旋轉聲，瑪蒂歪著腦袋看總統和他的九名妻妾飛向藍天，飛到遙遠的避風港。

住宅區的房舍試圖比運輸區的樓房更色彩繽紛，泡泡糖粉紅、鼠尾草綠、曾經可能是天藍色但現在變成灰白。這裡的街道不似運輸區按照號碼排列，所以我們迷了幾次路；街道各有名字，珍妮佛、艾蓮、莎拉小巷。一世紀前，為了興建房舍，鼓勵住戶成長，拆除了這區好幾棟頹杞的工廠。不曉得是不是每條街都是由各戶人家的女兒命名。

平常這樣的步行量不會對我造成困擾，可是現在我頭昏眼花，好幾次非得眨掉擠進我視線的小亮點。我開了一包薯片，但願這空有卡路里的食物能幫助我的腦袋平復今天午後受的驚嚇。首先是失蹤的哥哥，再來是新實驗室轉瞬即逝的興建希望。只是薯片沒什麼用，蓋布利歐又一直問我要不要休息。

最終我們找到黎明大道，開始挨家挨戶找門牌。瑪蒂望著號碼由大轉小的門牌，只見它們全都又大又金地鑲在門上。她比我更專注，因為當她停在56號門前，我還不小心撞上她。

這是棟鮮綠色、三層樓高的房舍，窗簾有白的和粉紅的圓點花樣。草坪凹凸不平，但點綴著五彩繽紛的地精和卡通動物的木頭雕像，它們擺設的樣子就像在玩貓抓老鼠。有部紅色褪色童書上用藍色蠟筆寫的克萊兒．羅特內推車倒在通往大門的小徑上。

不過，真正吸引我目光的，是這戶人家的招牌。它以精緻的草寫字手繪而成，距離人行道兩呎遠：*葛蕾絲的孤兒院*。

蓋布利歐走在前頭，伸手敲打白漆大門。屋裡傳來鋼琴的彈奏聲，不似西西莉以前那樣熟練的旋律，反而比較像貓咪在所有的低音鍵上踏步。琴聲中止，小孩放聲尖叫，有個模糊的聲音向我們靠近，大門隨之開啟。

瑪蒂圈緊我的腿。不知那是情感作祟還是出於恐懼。

有個年輕男子站在門口，他打赤膊，運動褲懸在髖骨上。他的淺色鬈髮毛躁凌亂，卻莫名與他有稜有角的臉龐相襯。他的目光隨即掃向瑪蒂，只見她緊抓我的口袋，把羅恩的字條抓得沙沙作響。

年輕男子的神情有些陰鬱，像是猜疑，像是傷痛。但當他一張口，只是對嘈雜的房間回喊：「克萊兒！又多一個了！」

克萊兒是第一代，個頭高大，膚色深，低沉圓潤的嗓音好似糖漿溢出。無論她走到哪裡，腳邊總是圍了一圈孩子；她步履輕巧地閃避攤在地上等著風乾的彩畫、溜冰鞋、泰迪熊和木琴。

她管每個人都叫「寶貝」，身上聞起來像剛洗淨的清新衣物。她的桃色渦紋洋裝是長袖的，袖口好似喇叭向外展開。

她沒有馬上向我們問起瑪蒂，或問我們是怎麼找到她的，反而先拿上面缺口、不成套的馬克杯為我們斟茶。

她腳邊的孩子時多時少，時聚時散。其中一個拉了一把椅子給她，於是她坐在廚房折疊桌前和我們面對面。她問我們喝茶要不要加糖，但我們基於各自的理由，習慣了淡而無味的茶水，所以婉拒了她。蓋布利歐在官邸工作的期間，從來不能享用糖這種奢侈品，而我則是對糖沒興趣。事實上，我唯一喜歡的甜食是林登派對上的甜點和六月豆。

「你們是看到招牌才聽說這裡的嗎？」她問道。

「招牌？」蓋布利歐反問她。

「我們沒有高科技的影印機，所以只能手寫貼在街燈上。」克萊兒說。我不記得有什麼招牌，不過話說回來，一路走來我都低著頭，除了街名之外，對這趟徒步旅程的印象很少。

「是書上寫的。」我說，脆弱的嗓音讓我自己也心頭一怔。聽起來像是靈魂被碾碎了，像是出於正常尺寸十分之一的小女孩。我盯著自己的這杯茶。

克萊兒問道：「書？不可能啊。我們從來沒在電話簿上打廣告。」她望著為我們開門的年輕男子。如今他雙臂交疊、靠著冰箱。「席拉斯寶貝？我們有嗎？」

就算沒揚起目光，我也能感覺他用那嗜睡、縹緲的雙眸凝視我。我莫名覺得受到責難，於是把雙肩聳到耳朵兩旁。「沒。」席拉斯說。

「不是電話簿，是這本。」我把手伸進紫羅蘭的包包裡，取出那本書，從桌上推到她面前。

這本書叫《普拉姆的小馬》，故事裡的小女孩有跟小馬溝通的能力，但是小男孩不相信她。到了結局，小男孩溺死，而小女孩長出一對翅膀。故事雖然病態，但瑪蒂似乎百讀不厭。

一開始克萊兒沒有拾起這本書。只是用指尖壓著它，然後抽回手指，再把指尖貼在胸前。

一直在桌子底下爬的瑪蒂現在鑽到我的大腿間，席拉斯死命盯著我看。我的視線閃著奇怪的金屬光點，坐著的椅子也咯咯顫動，起因是旁人感受不到的實驗室爆炸案。

克萊兒問起這本書是怎麼來的，但這個問題我顯然漏聽了，因為接下來我只知道蓋布利歐在答話。「這本書是她媽媽的。」他意指瑪蒂。

瑪蒂抵著我扭動身體，把小拳頭埋進我的胳肢窩，她的臉也壓著我的脖子。我不明白，我們從沒對彼此流露這麼多情感。但她這樣的舉動也讓我回神。

克萊兒離開座位，到我身旁跪著，語氣輕柔地叫瑪蒂看著她。瑪蒂最初只是抵著我的鎖骨搖頭，但最終還是妥協了。

克萊兒伸出一根手指，沒怎麼碰瑪蒂的額頭，反倒是設法拂去一綹瑪蒂烏黑柔順的髮絲。「小朋友，妳叫什麼名字。」克萊兒問道。

「瑪蒂。」我回話，並為自己護童心切的聲調詫異。「她叫瑪蒂，不會說話。」

「妳是哪裡人？」克萊兒仍對著瑪蒂問話，只是目光往我這頭飄了一秒。

「南卡羅來納州的紅燈區。」我答道。還是喬治亞州？這只不過是幾天前的事，我的記憶卻一片模糊，而且說也奇怪，竟只剩黑白。當我回想起姨娘的絲巾和珠寶，它們竟也只成灰色和白堊色。

我知道在我身上蔓延開的是哀痛。我在為哥哥哀痛。想到這裡，我為之驚愕。

「她的媽媽叫作紫羅蘭。」蓋布利歐說。

我說：「不對，那些姑娘全是用顏色命名的。」如今我彷彿茅塞頓開。瑪蒂緊抓我不放，克萊兒則一臉焦慮。克萊兒長得像紫羅蘭，跟瑪蒂也很神似。

藍色蠟筆寫的葛蕾絲．羅特內。克萊兒的女兒，紫羅蘭的真名。

紫羅蘭的書即使少了主人，也已找到回家的路。

「這怎麼可能？」克萊兒低語。而我已經很習慣聽到這個疑問了。

等了超過半小時，瑪蒂才鬆手放開我，而這只是因為克萊兒在桌上擺了一碟燕麥餅乾。屋子的角落擱了個空罐頭，用來接天花板的暗沉污漬處漏下的水。一滴，再一滴，片段的思緒怎樣也積累不成什麼有形的實體。

我知道蓋布利歐好多了，因為他馬上就抓了一塊餅乾。瑪蒂在我大腿間扭來扭去，手伸向碟子，而我卻感到反胃。克萊兒眼眶泛紅、淚汪汪的，這群孤兒的眼淚也像要奪眶而出，拽她的洋裝，像要往她身上爬。

將餅乾烤好，在等餅乾冷卻的同時，克萊兒將故事娓娓道來：

從前有個名叫葛蕾絲．羅特內的小女孩。她從小立志當老師，幫忙照顧跟她和她母親同住的一群孤兒。說故事給他們聽、為他們煮飯、哄他們睡覺。等到十二歲那年，她那動人的雙眸和大方的笑容，再加上纖長的四肢與深咖啡色的皮膚，儼然已成為一位美人兒。

有天清早她出門上學，卻再也沒回過家。

後來怎麼了，克萊兒鼓不起勇氣說，但也沒關係，因為我自己猜得到。紫羅蘭——葛蕾絲．羅特內——被採花賊擄走，賣給妓院。後來肚子被搞大了，或許曾經試圖逃跑，但最遠只逃到姨娘那裡。

我望著漏水叮鈴響地落進罐子。克萊兒坐在對面盯著我瞧，直到我揚起目光看她。然後她說：「寶貝，妳還好嗎？妳看起來很激動。」

我莫名地接不上話。我覺得自己連開口的力氣都沒有，一時之間只想讓眼淚決堤。

蓋布利歐為我解圍，說我八成只是累壞了。然後他講起我們走了多遠的路，講起紫羅蘭——不，不是紫羅蘭——葛蕾絲試圖跟我們一起逃，可是沒能翻過籬笆。

葛蕾絲。一開始我沒法把紫羅蘭跟葛蕾絲想在一塊兒。把晶亮的乳液抹在雙臂和長腿上，將頭髮往上盤，綻放她豔紅唇膏的笑容。但我又想起她是怎麼柔情地哄瑪蒂，怎麼溫柔地幫我整理頭髮；一想到這裡，我就為她心痛。跟姨娘旗下其他的彩虹姑娘相比，她是多麼生氣蓬勃，多麼聰穎可人，又是多麼地被徹底毀壞。

一直不肯接近我們的席拉斯，如今站在屋裡的別處望著我。「妳為什麼不回去救她？」

我感覺蓋布利歐為他責難的語氣動怒，不過既然問題是衝著我來，他就讓我來答。

「她掩護我們，我們躲起來，她跟那些人說我們逃跑了。她知道瑪蒂跟我們在一起，與其冒著她被抓的風險，倒不如讓我們帶她走。」我說。

席拉斯發出似哭似笑的聲音。我看他一眼，只見他蒼白的臉脹紅了，明亮的雙眸閃著不願滴落的淚水。「真崇高。」他哼著鼻息說。

「姨娘打算要殺她！」我厲聲吼道。不曉得這怒氣是打哪裡來的，感覺像是好好坐著，聽某個聲音像我的女孩說話。「你們沒見過那個鬼地方，但我見過！我們已經盡力了。你們哪個不要命的想去救她，我絕對不會攔你。」

屋子陣陣悸動，是之前的兩倍亮，我逼自己在暈倒或大哭前先冷靜下來。席拉斯別過頭去，嘀咕著說什麼軟弱，說葛蕾絲只有不到一年可活。

克萊兒往椅背靠，雙手交疊，喜怒不形於色。既不逼瑪蒂承認她是外婆，也不對瑪蒂斷了的胳臂大驚小怪；既沒不准席拉斯絮絮叨叨，也沒叫我別再怒氣騰騰地呼吸。

過了好一陣子，她才說：「我希望瑪蒂能留下來。這是你們帶她來的原因吧？」

而這正是我怒氣的源頭，揮之不去的悲痛也宛如壓在我胸口的千斤重。「我們帶她來，」儘管這話連我自己都不敢相信，我還是字斟句酌地說：「是因為我們無處可去了。」

第十八章

克萊兒的家使我想起自己的老家。

雖然多了一層樓，但結構大同小異。頹圮，依稀帶著殖民時期的風格，背負著前世重量的地板和門鏈嘰嘎作響。在爸媽成長的年代，這樣的房舍骨架結實，壁紙也不會斑駁脫落。他們又怎知道子女會碰上什麼事？世界會遭逢什麼不幸？

克萊兒說要帶我們參觀房子，但瑪蒂死命扒著桌子不放，說什麼都不願讓步，前一秒還不肯鬆手放我走。這個女孩在想什麼，我永遠猜不透。我留她坐在桌前憂鬱地啃餅乾。

克萊兒領我和蓋布利歐上樓，沿途經過一樓的玩具、美術作品和琴鍵黏黏的鋼琴。二樓多半是臥室，但主廳牆上有塊黑板，還擺了十幾張椅子，布置成教室。到處都是紙。這裡的錫罐跟玻璃瓶更多了，用來接滲過天花板的水管漏水。

三樓即是閣樓。倒V字形的屋頂形成斜斜的天花板，房裡有張雙人床和梳妝台，還有一間浴室。這間是克萊兒的臥室，也是唯一沒堆滿孩童用品的房間。地上也有張用床單和破被子做的床墊。屋頂有扇彩色玻璃窗，它使整個房間注滿粉的、黃的、溫暖的光。「他們這些小傢伙，如果有人病得厲害，我就會讓他們到樓上跟我一起睡，好就近照料。」她說。

到了頂樓，琴鍵不和諧的雜音、孩童的尖叫聲，和漏水的管線遂變得遙遠。此刻我最求之不得的，是倒在克萊兒的雙人床上呼呼大睡，或暫時關閉我那飛馳的思緒。

但他們安排我和蓋布利歐在二樓就寢，睡在一塊厚羽絨被充當的床墊。只要願意幫忙，我們就能留在這裡。她瞥見我的婚戒，以為我們結了婚也會想待在一塊兒。不過她強烈暗示不宜行房，畢竟這麼多孩子跑來跑去，已經沒有隱私可言；況且我們要睡在席拉斯的臥房。瑪蒂想跟誰睡都行，孩子的數量比床多，他們也已習慣擠在一起。但我有預感，假如瑪蒂找不到屬於自己的角落，最後會跑來跟我們睡。

席拉斯的臥室頂多像是只能容納一張床的衣櫃。我們一把棉被攤開，就占滿了整張地板。席拉斯意興闌珊地跨過門檻，看著我和蓋布利歐占用他的空間，但他開口只說：「再過幾分鐘就要吃晚餐了，吃完晚餐想洗澡請自便，然後熄燈。」他皺起鼻頭，彷彿我們是世上最令人作嘔的生物。

我食慾不佳，但沖完澡後精神倒是好了一點。我身上穿的睡衣雖然破爛，卻也合身舒適。我盡量別去緬懷狄德麗為我織的那件毛線衣，畢竟它已穿在姨娘駝背、布滿皺紋的身上。

蓋布利歐爬上毛毯，來到我的身邊，他頭髮還是濕的，有好一陣子我們只是默默無語，在黑暗中躺著仰望天花板。屋子裡嘈雜不休，因為席拉斯——這裡最年長的孤兒，大概跟我同年——和克萊兒正在催孩子上床睡覺。這過程顯然包括了在鋼琴前大合唱。我最近一次看到瑪蒂時，她已跟一個有著澄澈綠眼、缺左手的畸形女孩交了朋友；她也沒打算跟我睡，所以我就留她繼續玩在沙發底下爬的遊戲。

「抱歉。」我說。我嗓音緊繃，兩眼發疼，因為淚水就要決堤。

蓋布利歐在我身旁窸窣移動。「為什麼抱歉？」

為什麼抱歉？其實我也不曉得。我不能說是為了把他帶出官邸而抱歉，因為光是想到如果此刻只有我自己就教人崩潰。況且我擔心他的人身安危，擔心他一個人獨自在沃恩的恐怖地下室，與我姊妹妻的屍首作伴。

「不該是這樣的。」我說。

蓋布利歐沉默半晌，然後有點詫異地說：「妳想過會發生什麼事嗎？」

我實話實說：「沒有，我以為我們回得了家，我哥會在家裡等我。我以為，或許……我也不曉得。我以為我們能得到幸福，怎知每件事都出了差錯。直到現在我才發覺自己有多傻。」

「渴望幸福並不傻。」蓋布利歐說。

我倆沉默許久，我以為他一定睡著了。沒想到他又開口說：「那現在呢？」

「我要去找我哥，先從我家附近找起。」我怎麼也沒想到「家」這個字聽起來多教人心如刀割。「先去查工廠區，看我離開這段期間他可能做了哪些工作，有沒有告訴別人他要離開。」這聽起來不像是我哥的作風。除了我以外，他不會把生活細節向任何人交代。但我能做的也只有這些了。

蓋布利歐說：「好，那我跟妳去。可是現在先想辦法睡會兒覺好嗎？妳開始教我擔心了。」

看在他明知這只是白忙一場，還願意順著我，允許我懷抱希望的份上，我假裝入睡。

等屋裡其他地方都靜下來，我聽見克萊兒上樓，地板吱嘎作響。席拉斯踉踉蹌蹌地走進臥室，在黑暗中設法繞過占據他房間地板的陌生人身體。他經過時，水從他剛洗淨的頭髮滴到我臉上。

蓋布利歐翻身，背對我側睡，天使之血的毒素都排光了，所以他呼吸平順通暢。

席拉斯床墊的彈簧吱嘎響，靜了一會兒，接著又響。我聽見他的毛毯發出沙沙聲。看來我假寐唬弄不了他，因為最後他輕聲問我：「葛蕾絲真的還活著嗎？或妳只是想讓克萊兒覺得好過？」

我輕聲回話：「是真的，我們翻到籬笆另一面，她沒跟上。不過她跟其中一名保鏢是朋友，那個人應該不會讓她出意外的。」

席拉斯陷入沉默，消化這一切。然後又問：「她還好嗎？」

我說：「她很勇敢，機靈。」我決定不提天使之血的事。

他猶豫了一下。「她有沒有提到我？」

「她誰也沒提過。我就連她本名叫葛蕾絲的事都不知道。」

我知道我應該再婉轉一點，但現實是殘酷的。紫羅蘭——或葛蕾絲——已經不是七年前被採花賊擄走的那個十二歲女孩了。在時間的推移下，她或許仍保有從前的一些特質和美麗的容顏，但歲月也毫不留情地改變了她。倘若離家一年就能顛覆我的人生，七年便足以完全將一個女孩抹滅。

我往蓋布利歐那頭緩緩移動，近得可以聞到他有那麼一點近乎海水味道的未乾頭髮。我告訴自己，假如今晚能睡著，一定要夢見北大西洋。我要夢見在日正當中乘著渡輪，順著沿岸朝自由島航行，一面捕虹鱒魚，一面享受日光浴。

但事與願違，我的夢只是一片漆黑和壁紙的燒焦味。

這戶人家最早起的就是我，我把手伸過枕頭，直達紫羅蘭的包包裡，東翻西找，最後找著羅恩的字條。藉著席拉斯床頭時鐘的綠光，我把字條移到面前試著閱讀。字看得不清楚，但這也無所謂，反正還是讀不通。

「妳是不是一整晚都沒睡？」蓋布利歐含糊地問我。我往他那頭看，才發現他的雙眸在黑暗中已鎖定我。

「不是，繼續睡吧。」我說。

但他一直等我放回字條、爬回床上，才肯閉眼。

我聆聽克萊兒輕踏過嘎吱響的階梯下樓，接著聽見她在廚房走動。不曉得她是不是也徹夜未眠。在得知失蹤女兒的下場後，她腦袋裡在想些什麼？七年何其漫長，長到足以認定人死了，長到衝擊和傷痛都能結痂。縱使我對爸媽的思念每天都沒間斷，但我已沒在人群中看見他們的臉龐。已不再期望他們用某種方式回我身邊。原本以為摯愛已死，卻發現一直以來她都活著；不曉得這是怎樣的滋味？

哥哥與我重逢時，大概也是這樣的感受。如果有重逢的那一天。

我闔上眼，試著入睡。我知道只有先休息，才有辦法花一整天在曼哈頓尋找哥哥的蹤跡，才有辦法面對情勢轉變的衝擊。

但我偏偏沒有睡意。好像躺了幾個鐘頭，最後即使我閉著眼，也能感受淺灰色的光線，又聽見小娃兒在嬰兒床號啕大哭，接著有如連鎖效應，哭聲百花齊放。

早餐聞起來很香，但吃進嘴裡卻宛如漿糊。那些明亮的光點又在我視線游移了。但我知道蓋布利歐在觀察我，所以在吐司上多抹了點果醬，強嚥下肚。

瑪蒂跟她的新朋友妮娜變得形影不離。上回我看到她倆繞著鋼琴轉圈圈，彷彿聽見一首其他人都聽不見的歌。

克萊兒擺在廚房櫃台上的小電視正在播放新聞。焦點放在總統想重建實驗室，造成民怨四起。自然也有支持重啟研究的一派，只是新聞喜歡鎖定憤怒的反對聲浪。比方有個第一代的女人老是灌輸自己的六個孩子解藥即將問世的希望，後來還是親手將他們埋葬。

席拉斯咕噥著說這樣試下去只是徒勞無功，坐在對面的我往餐桌另一頭瞪他一眼。「公主，要發表什麼高見嗎？」他輕柔地說。

我開始收桌上的餐盤，在他伸手拿最後一塊浸了糖漿的鬆餅之際，抽走他的盤子，全部收到流理台。

現在新聞轉而報導金特立總統的家世，一百多年前公民可以當家作主，投票選總統。我從報導中得知總統民選實行了一陣子，可是後來朝野對立、相互鬥爭，於是總統的職位改為世襲制。新世代壽命縮短，對世襲制的傳統帶來威脅，但金特立似乎以為只要傳宗接代，多多益善，就能解決這項難題。他的每個孩子都是男丁同樣啟人疑竇。很多人猜他在搞私人基因實驗室，以操控子嗣的性別。也有人猜他早就找到解藥了，但我不懂如果為真，又何必保密。

客廳傳來一聲撞擊聲，接著是小孩打嗝、號啕大哭；克萊兒馬上衝去照應。

她一離座，席拉斯沒針對誰，隨口說了句：「他們應該聽其自然就好。」

我猛一轉頭面向他。「明知被宣判死刑也要『聽其自然』？尋找解藥又沒有錯。」

席拉斯嗤之以鼻，趾高氣昂地經過我身邊，走向冰箱，取出一瓶牛奶，就著瓶口直接喝。「重建實驗室能創造就業機會，但它的好處就這麼一丁點。建好之後也只能帶給人民希望。」

「有希望是壞事嗎？」我問道。

「虛幻的希望是。」

蓋布利歐準備接話，但我搶先一步。「誰說的？有這麼多天才的科學家、妙手回春的大夫，或許懷抱希望並不是一件壞事。或許懷抱希望，人們才能團結一致。」

在我內心翻攪的盛怒有如潑進水裡的顏料，把整缸水都染紅了。然而，不到幾星期前，我才跟西西莉併肩躺在珍娜的彈簧墊上，對她說找不到解藥了，要她接受事實。真希望我能收回那些話；那時的我悲痛欲絕，好一陣子忘乎所以。違背了爸媽所奮鬥的一切。違背了他們拋頭顱灑熱血的一切。

席拉斯乾笑幾聲，像是姨娘旗下的姑娘眼神憔悴。他散發著熱情被澆熄的氛圍。假如能多活幾年，他的星星之火肯定可以燎原。但我看得出來他已然放棄。「公主，妳太天真了。」他說道。

過去這一年，我得到許多綽號：寶貝、金花、皇后、公主。以前我只有一個名字，這名字曾經有些意義。

「我懂的沒那麼少。」我說。

他湊近身子，差點要跟我鼻碰鼻；我能感覺他開啟雙唇，準備說話：「那妳應該也知道妳快死了。」他的目光在我臉上搜索，向我下戰帖。我無從辯駁，這點他也很清楚。

我只能微弱地說一聲：「或許吧。」

「或許沒什麼，那起實驗室的爆炸案，其實是福不是禍。它教人們要面對現實。趁還有時間，好好活在當下。」他說。

這時蓋布利歐終於忍無可忍，拽著我的胳臂把我拉開。我渾身都在發抖，我氣到說不出話，唯有跺步離開廚房，上樓時氣餒地哼了一聲，似乎連牆壁也隨之震搖。瑪蒂和妮娜準備靠近我，但很快就打消這個念頭，繼續玩繞著欄杆穿行的遊戲。

我無處可去，只能回席拉斯的房間。蓋布利歐跟在我背後，並把門關上。他向我伸手，但我不停踱步，蠕動嘴唇，試圖把話說出口。我的視線模糊，最後只脫口而出這幾個字：「自大狂。」

我雙手握拳。「他沒有權利……他以為他是誰啊？」

「他不該說妳天真的。」蓋布利歐幫腔，想辦法讓我好過。

「這不是重點。我的意思是，這只是重點之一，但他居然說爆炸案其實是件好事。」我不再踱步，開始咀嚼指關節，在齒間感覺自己的骨頭。「我爸媽在那起爆炸案身亡。他們因為相信會找到解藥而送命。而且在此同時做了那麼多好事！照顧新生兒，收留無家可歸的懷孕少女，還有……」我嗓音突變。我泛著淚水怒視窗外，目送席拉斯走向小屋。他朝自己凍紅的雙手取暖，笨拙地開鎖，進入屋內。

從高處眺望，他顯得好渺小。他是一瓣朝天際翻飛的灰燼，烈焰燒盡後的唯一餘證。

說也奇怪，東西竟然這麼容易就消失了。

從前有一對父母，一雙兒女和一棟庭院種滿百合的磚房。父母過世，百合凋謝。孩子一個接著一個失蹤。

「沒事了。」蓋布利歐說。他把手伸到我胳臂附近，但只是懸空，大概因為不敢碰我吧。

「我爸媽本來可以做更多好事的，做偉大的事。」我說。

「我知道。」蓋布利歐說。

「爸媽不希望這種事發生在我跟羅恩身上。我哥很聰明。爸媽栽培他，希望他能成為科學家；可是他們死後，他就放棄這個夢想。這是因為我們必須相互扶持。」

我凝視自己在玻璃窗上的倒影，看見了兩個我：一個是孿生妹妹，一個是新娘。

「不該是這麼糟的。」我低訴道。

我跟蓋布利歐告知我們要前往運輸區的計畫，克萊兒聽了並未質疑，席拉斯則是對著他的那杯茶咕噥，說什麼再也不會見到我們了，他以為我們要拋棄瑪蒂。但瑪蒂要麼知道這不是事實，要麼就是不當一回事，因為我經過她身邊、準備出門，她仍然埋首遊戲之中，不受驚擾。

今天走起路來感覺比昨天更加艱難。我的腿僵硬沉重，我低著頭，避開眩目的驕陽。蓋布利歐沒逼我跟他對話，只是偶爾伸手在我背上畫圈。他大概以為我會哭還是怎麼的，但我早已哭不出來，感覺也早已麻痺，腦袋也無法思考，只知道該做什麼最立即的動作：走過這座橋。從離老家最近的工廠開始找起，然後沿著海岸線走。不去關注這片汪洋——那裡充滿回憶和沉沒的大陸，以及許多令人心馳神往的地方。

無論到哪棟樓房的哪間辦公室，我都傳達同樣的口信：我在找我哥，他名叫羅恩・艾勒里。大概比我高這麼多。一頭金髮。眼睛一隻藍的，一隻褐的。只要見過他八成會有印象。

問題是沒人有印象。問再多遍還是音訊全無。

直到我們來到一間食品加工廠，一個長雀斑、頭戴髮網、襯衫有污漬，胸前還印有「主管」二字的第一代長者居然知道我在找誰。他一開口就劈哩啪啦地罵個沒完，說羅恩——還幫他取了個不怎麼好聽的綽號——本來好端端地幫他幹活兒，但最後偷了一輛貨車，而且車裡有價值不斐的湯品罐頭。男人爆跳如雷、言詞激烈，我一個問題要問好幾遍他才聽到。最後蓋布利歐看不下去了，一手搭在男人的肩上，設法用他從容溫和的神情安撫他，一雙碧眼和他四目相交，但沒遞送半點侵略的目光。「這是多久之前的事？」

男人眨眨眼，說：「幾個月前吧，我也看出那個小鬼不太對勁，總是自言自語，有次還中途消失一小時。不過他貨送得很快，所以我沒炒他魷魚。」

我試著把我哥跟這個男人所描述的傢伙連結。羅恩總是易怒，特別心煩的時候會犯嘀咕，說早知道就該說些什麼，好把問題解決。說的話大多不好聽，但至少他神志清醒。只有我把手搭在他胳臂上，對他好言相勸，他才會住口。自從採花賊闖進家門，我哥一連氣了幾天。來回踱步。擔心發愁。我剛以為他心情平復，卻見他揮拳擊破一扇窗。但我從沒想過他的怒氣能積累那麼深，還有他只要破口大罵停不下來，最後就會語無倫次。

一如他總是在我身邊守候、保護著我，就像採花賊拿刀抵住我喉頭那晚，我也總是伴他左右、安撫他的情緒。只有我能平復他的心情。

內疚宛如鉛做的錨在我的胃裡一沉。如今他人在外面漂泊，這都怪我沒能撫慰他，沒能把他從心智邊緣外的黑暗拉回來。

我問起「貨車長什麼樣子？」時，嗓音彷彿離我千哩之遙。

男人一聽巴不得向我們展示他的貨車，在結束停車場巡禮時，撂下一句：「假如你們再見到那個小鬼，跟他說敢再來這裡露臉試看看。」

假如，假如我再見到他的話。

走回克萊兒家的途中，換我怒氣沖沖地犯嘀咕。怪採花賊，怪這流逝的幾個月、貨車、家園燒毀，留下毫無意義的字條。怪時間——都是時間惹的禍，因為說到底癥結還是時間，對吧？在官邸虛擲的時間。明知孿生兄妹不會回來，還執意等待的時間。等我嚥下最後一口氣的時間。

我的不滿肯定反應在臉上，因為回去的時候，席拉斯本想大發議論，卻隱忍不說。我倆一度四目相交，他給我的眼神既非嫌惡，也非憐憫，反而有種站在同一陣線的味道。他大概猜到我的尋兄任務只是白費力氣。我想他懂這是什麼滋味。

我恨不得直接上樓，把自己埋進被窩，陷入不被夢境干擾的沉睡。爸媽過世的時候，我就是這樣。然而，我心裡有個幽微的理智部分，好似破錶中孤單的齒輪，仍在運作。我走進廚房，幫克萊兒洗碗盤，煮開水做義大利麵，幫小娃兒拭去下巴上的醬料，為壁爐台和置物架上的一堆廉價裝飾品撣灰。蓋布利歐一而再、再而三地問我還好嗎，但我總是充耳不聞。

接下來這幾天，我陷入一套日常慣例。睡眠變得規律。雖然食物嚐起來依舊無味，難以下嚥，我還是勉強吞下肚。我不只一次在進小屋拿罐頭食品，或為了修漏水的水龍頭拿成套工具時，撞見席拉斯貼著牆，一個新來的女孩將他緊摟不放。「要加入我們嗎？」第一次他挑逗地問我，女孩往他胸膛搥了一拳。不過我們後來學會對彼此視而不見。

蓋布利歐會用鋼琴彈幾首歌，所以很討稚齡孩童的歡心。我從不知道他通琴藝，每當家事沒那麼繁重時，我會坐在長凳上看他的手指在琴鍵上移動。在他的教導下，我知道只要反覆按下同一琴鍵就能加強曲調的張力。錚錚錚。其餘的旋律在屋裡流洩，而我只專注於那個琴鍵。

我的食指雖已離開琴鍵，音符卻不肯離開我。我收髒衣服，扔進洗衣機，錚錚錚。我上樓想要靜一靜，因為天還沒亮，孩子全都還在夢鄉，依舊錚錚錚。我能聽見他們混雜的呼吸，和蓋布利歐淋浴時嘶嘶流出水管的洗澡水。

錚錚錚——音符纏住我的下一口氣，我還沒搞清楚發生什麼事，便重心不穩往前倒。不過我沒撞到樓梯，因為席拉斯一把抓住我的胳臂。我可以看見他蒼白的肌膚反射月光。他是不是從來不穿上衣啊？他的臉在陰影中，雙眸卻很明亮，所以我知道他正注視著我。他的眼珠子隨著我臉龐的每個稜角轉動，像在拿什麼主意。

「謝謝你拉我一把。」我咕噥道。

我想抽離胳臂，他見狀也鬆開手，但不知怎地，我還是杵在原地。

「妳頭暈了，是不是？每天都這樣。」他輕聲問。

「我很好。」我輕聲回他。

「妳不好。」他說。

我不再反駁，繞過他身邊進臥室。我該如何向他解釋他眼裡的暈眩，其實是一種令人毛骨悚然的精神錯亂？一如常春藤的卷鬚沿著我家（如今不能住人的）磚房外壁攀爬，我已被征服。

我該如何解釋我之所以跌跤，是因為多年前父母喪生的那起實驗室爆炸案一直揮之不去？

到了早上，我在其中一間孩童臥室鋪床，伸手關窗時只見席拉斯懷裡摟了個女孩，在幾呎之下的小屋後方蹣跚而行。風兒吹起她一頭烏黑的長髮，又彷彿受挫似地將它垂放。我看見她胳臂勾住他脖子，他臉上泛起慵懶的笑容。

她毛線衣的條紋衣袖好像兒時故事書裡的枴杖糖。

就在我伸手把窗框往下拉的瞬間，他揚起目光看我，輕彈一下他的鼻子再跌跌撞撞地轉進小屋轉角，女孩一直笑個不停，最後消失在我的視線之內。

我不解地摸摸人中，試圖搞懂他的手勢。手移開後，我才發現上面沾了血漬。

第十九章

二月中，空氣漸漸回暖，薄薄的一層霜化了，賦予青草濕漉漉的清新感，也柔軟了土壤。我坐在孤兒院的人行道上，凝視清早的霧氣在混凝土地上打旋。我盡量別想官邸那些橙花，如今它們正在樹上沉睡，含苞待放。去年的這個時候我住在曼哈頓的運輸區，才剛滿十六歲。渾然不知再過幾天就要被採花賊擄走。

我手擱在抬起的膝上，注視我的婚戒，撫摸既非起點也非終點的藤蔓與花瓣。我千頭萬緒，有我不該碰觸的，也有我該思考的。這些思緒宛若今早晨霧中的橙花花瓣。我再也無法分辨哪些有用，哪些危險，我只知道我已受夠了停滯不前。所以，不知道還能做什麼的我，開始邁步向前。

即使在街上走了幾碼，我仍能聽見孩童在孤兒院的嬉鬧聲和碗碟哐啷作響。不過拐進黎明大道後，嘈雜聲也隨之休止。耳畔只依稀聽見遠處城裡呼嘯而過的車聲和遙遠的浪潮。這時吹來一陣狂風，我雙手環抱胸口。

我身上這件褐色和粉紅色相間的條紋毛線衣讓我無處不癢。這不是為我量身打造的，也沒有鑲飾珍珠和鑽石。

我忙著盡量別緬懷過去，所以沒聽見他呼喚我——直到我的名字伴著他的腳步聲在空蕩蕩的街上迴響。「萊茵！等等。」

我止步但沒轉身，在原地等他追上來。

「哦，很好。」我一等席拉斯追到身旁便開口說：「你沒打赤膊了。」

他憤慨地喘著粗氣，甩開遮在眼前的鬈髮。他的髮色金到幾乎全白，映著淡藍色的晨光，卷卷的像是起泡的海水。

女生大概就是喜歡他這點吧。酷酷的，什麼都不在乎。照理說這該是他帶其中一個女孩離開主屋的時間。到工具室或社區的別處，一邊擺手，一邊走遠。但這是他的私事，我也懶得管，只要他別把越軌行徑帶回克萊兒的家我就謝天謝地，更何況我們還睡同一間房。

「是不是想要逃離我們的美好家園？」他一邊問，一邊同我再次邁開步伐。

「不，只是想散散心。」我說。

我盡量跟席拉斯井水不犯河水。假使他比我早上床睡覺，我會忙著做家事，直到確定他入睡為止。如果我先上床，便會裝睡，假裝不知道他躡足踏過我身上。我也盡最大的努力不讓他發現我在狀況最差的時候、感覺一切無望的時候，有明亮的光點在眼前游移。比方說現在。

蓋布利歐也對我關懷備至，但我不用迴避他，因為他不會咄咄逼人。他若問起，我就轉移話題，問題也就到此結束。

假如席拉斯又問起我的狀況，我已做好閃人的萬全準備。反正沿途我都在找可能開溜的巷弄。

直到他再次開口，我才發現原來我一直閃躲他，其實還有別的原因。只要閃躲，就不必試著回答他打從第一天就藏在他嗜睡、冷漠的眼神裡的問題。「蓋布利歐其實不是妳丈夫對吧？」

誠實以告是最不費力的回應。連日來我也沒什麼多餘的精力了。我答：「對，被你發現了。」

「嗯。」他說。

我問他：「怎麼發現的？你看我們的眼神總像知道內情，但你是怎麼發現的？」

「你們之間倒也不是沒感情；一看就知道很關心彼此之類的，如果我跟妳說實話，妳一定會覺得我瘋了。」席拉斯說。

「不會，相信我，不會的。」我說。

「該怎麼說呢？那枚婚戒上彷彿繫了條隱形的線，只是那條線不是通往他。妳好像被拴住了。」他說。

拴住，這麼形容真貼切。那些關於我丈夫、姊妹妻，甚至狂人公公的種種，似乎從未真正離開。

我說：「我逃跑了。被採花賊擄走，然後脫逃，回家之後卻發現家人都不在了。」直到話脫口而出，我才知道真是不吐不快。這些話懸在半空，如今我想做的只有遠離它們，遠離事實。因為如果我拿它們沒輒，自然也不想面對。

我離開大馬路，開始往下坡走，步步為營，免得在沾了光潔朝露的青草上滑倒。倘若這是個生氣蓬勃的城市、空氣也更為清新，想必會萬紫千紅、百花爭妍。然而，坡底只有一條涓涓的小河和些許瘦弱糾結的灌木。前幾天來這裡我就想過了，我得暫時遠離喧囂紊亂的孤兒，而這個小地方似乎挺安全的，被陽光籠罩，帶有春季濕潤泥土的氣息。

今天的氣味有別以往。我沒馬上認出來，直到席拉斯抓住我的胳臂，要我別看。

可是太遲了。我已看見女孩的屍首面朝上地浮在淺水中，兩眼霧茫茫的。

這裡的光束格外強而刺眼。我只是杵在原地，瞠目結舌地回望強光。看不見女孩的五官和她的髮色。不過怪事發生了，我竟能看見她的骨頭，我的視線穿透她的肌膚，直達發黑凝結的血液和組織。我看見撕裂開來的肌肉，那裡原本是她心臟，採花賊的子彈就是擊中那裡。

席拉斯在對我說話，卻彷彿隔了層玻璃。他推我一下，想把我推走。可是我全身麻木，活像他的牽線木偶，被他強行推往上坡走，四肢軟弱無力地移動。最後他和我一同坐在人行道上，看我用手緊緊抱住自己。

我感覺血液漸漸再度流動，眼前光點皺縮消失。

「躺在那裡的可能是我。」我輕聲說。

席拉斯目不轉睛地望著我。

我繼續說：「我們一共有三個。三個女的被挑中，其他全遭槍擊。屍體不知被扔到哪裡去。也許任她們在水溝爛掉，直到如果有人發現再送去火化。」

話要大聲說出口，才知內容多不堪。我或許應該大哭或歇斯底里，卻好像對一切都沒有感覺，只是沒特別針對什麼地猛搖頭。

席拉斯說：「要對水溝留意點。妳永遠不知道會在裡面找到什麼。」

「躺在那裡的應該是我。」我說。

「為什麼？」他問道。

我告訴他：「因為我根本不想結婚。我的其中一位姊妹妻很想嫁入豪門，而另一位至少承認好死不如那樣賴活，反正也就接受了。但是我……不吃這套。在隊伍中遭槍擊的可能是我，但不知是什麼荒謬的理由，我被選中了。有一次我企圖逃跑，差點連命都沒了。」

「就算沒命應該也攔不了妳，我的意思是，畢竟妳現在坐在這裡。」席拉斯說。

我搖搖頭。「攔不了。」

我回頭俯瞰水溝，但從這個角度看不到靠慣性在淺水滑行的浮屍。席拉斯將一根手指輕輕伸到我的下巴底下，稍過片刻才把我的頭轉向他。「也許那個女孩寧死也不願被人囚禁，也許她直視槍管，罵了聲：『去你的。』」

「不太可能。」我說。

「夠了。妳逃過一劫又怎樣？不值得為它送命嘛。」

我抹平大腿部位皺起的褲子，望著樹葉在路面翻飛。想起林登對著我的肌膚呼出滾燙濕透的氣息；蘿絲孱弱優雅地躺在臨終的病榻，踏上人生終點；西西莉分娩時床單上的鮮血；我的心臟不斷猛烈跳動，時而驚懼，時而亢奮；水池裡全像投影的鯊魚。丈夫在紙上畫的路線圖；嚐起來像六月豆、像秋風、像實驗室污濁空氣的吻；恆常。無可逃脫。

躺在水溝裡的女孩可沒有這般回憶。她的皮膚會爛到見骨，連頭蓋骨和都暴露在外。頭髮會掉光。肋骨、髖關節和肘部能保留最久，但到頭來她仍會支離破碎，和其他殘破的片段一同積累，漸漸化成灰燼。

「對不起。」我輕聲致歉，但她聽不見。

「別這樣，我們去找點樂子。」席拉斯邊說邊站起來，抓我手腕拉起身。

「像是什麼？」我問道。

他一手搭著我的肩，誇張地展現同袍情誼；不過我猜他只是怕我不支倒地。這也未嘗不好，因為我開始頭暈了。

「像是修理樓下浴室裡的破馬桶。今天早上有人把幾個字母積木沖進馬桶裡。」

我情不自禁地笑了。「我要負責洗床單欸。」我說。

「算妳走運。」他說。

我倆走路回家，沿途閒聊家事和孩子在琴鍵以及桌下留的髒污。那個死去的女孩如影隨行，好似掛在我背上的幽魂，在我的耳畔一再輕訴：躺在那裡的應該是妳。

今晚我連勉強自己進食都做不到。光是望著熱騰騰的雞湯就能使膽汁在我胃裡翻攪。我覺得麵條像是再也無法完整拼湊的胳臂、腿跟手指。我找藉口先離席，但答應克萊兒沖完澡馬上過來幫忙洗碗。

她皺起眉頭，嘴角像是融化似地從她臉上垮下。我打了個寒顫，趕緊上樓。

硬木地板睡覺，只有棉被當緩衝付出代價了。我一腳踏進熱水的蒸氣，但這只是讓新一波的痛。身上的每條肌肉都在痛，看來終於要為波濤洶湧的天使之血、那些拔腿狂奔，和在暈眩加劇。腳底的瓷磚開始搖晃，搖得又猛又快，我非得坐下不可。

熱水灑在身上時，我才發現春天其實沒來得那麼快。出門時我也許應該在毛線衣外頭再加件外套，因為熱水無法緩解在我骨頭深處暫居的寒意，我感覺要是鬆開毛巾架，我就會跌個萬劫不復。

我在浴室裡待得久到蓋布利歐開始敲門，呼喚我的名字。他大概敲好一會兒了，因為我睜開眼之後發現自己還坐在濕淋淋的瓷磚上，但是洗澡水變冷了。

「如果妳再不吭聲，我就要進去嘍。」他說。

「不行。」我說。我的聲音在瓷磚上回盪，將氣若游絲的嗓音放大。「我沒事，我正在擦身體。」我向前伸手轉水龍頭，直到它嘶嘶震了一下，然後停止出水。

我看起來氣色一定很差，因為當我圈著蓋布利歐的胳臂走回廚房時，孤兒們竟一哄而散。克萊兒放下她的海綿，拿毛巾擦手，用手背貼著我的額頭。

「寶貝，妳在發燒。別管碗盤了，上床休息，我拿阿斯匹靈給妳。」她說。

即使有蓋布利歐攙扶，上樓仍是件苦差事。他把我安置在地上，去找更多毛毯。

蓋布利歐回來了，在地上把棉被弄得跟床墊一樣，而我在他身旁咕噥：「今天我看到一個死掉的女孩。」

他頓了一下，只是對我皺眉，彷彿我在胡言亂語。

「是真的，她的屍體浮在水溝裡，兩隻眼還瞪我。」我說。

「過來。」蓋布利歐說。他掀起一條毛毯讓我往裡爬。我進被窩後，他幫我把毯子塞好。

他用指頭輕梳我的頭髮，我頭倚著他的大腿，嘆息著聊起音樂，漸漸進入夢鄉。

可是我一直覺得自己沒有真正入睡。這個夜漆黑一片，胳臂、腿和手肘在席拉斯時鐘的光亮中浮現。我一度以為它們是洶湧的浪潮要捲起，將我淹沒，而我的尖叫引發滿屋子的騷動和嬰兒哭聲。有人開燈，直到天亮才把它關掉。

我在凌晨醒來，天空仍是破曉前的一片藍。我頭仍靠著蓋布利歐的大腿，只是他腿上墊了個枕頭，手指依舊繞在我的髮間，偶爾因為輕撫的記憶抽搐。不過他睡著了，靠著牆坐直身子，張著嘴，呼吸急促。我仰望他下巴的曲線，伸手要摸，他卻瞬間離我千萬哩。我想呼喚他，但是發不出聲音。

我再度睜眼，先前一定是睡著了，因為此刻的陽光更為耀眼，席拉斯也下床了。

「嗨！」蓋布利歐輕聲說。他的嗓音是茂林間的一陣涼風，如此甘美，我情願閉眼，任它撲面而來。

「嗨！」我說。我的聲音好似小提琴斷了的弦。「女孩死掉的事，你還是覺得我在說謊嗎？不信你去問席拉斯。我沒騙你。」

「我相信妳。」他說。

「也許天氣太冷，我不該出門，結果著涼了。」我把太陽穴貼在他膝上。

「身邊圍繞著這麼多孩子也會容易生病，因為細菌多。以前住孤兒院總是有人生病，我到現在還記得。」蓋布利歐說。

我點點頭，一會兒過後，我讓他們攙扶我。克萊兒拿了蘋果醬、蔓越莓汁和阿斯匹靈給我。在她的堅持下，我勉強將這些東西都吞下肚，可是過了幾分鐘又把它們全往外吐；她愁容滿面，屋子彷彿也隨之由亮轉暗。我望著她被陰影吞噬的深色臉龐，最後什麼都不見了，只能看見她的眼白。

我發現瑪蒂跟妮娜常手牽手跑到我房門口，以為我意識朦朧就不會察覺。妮娜小聲說了什麼，她倆便像蟑螂似地奔逃。

蓋布利歐直到傍晚才離開我身邊，好像是幫克萊兒準備晚餐還是去沖澡——他跟我說了，只是我記不得。我終於清醒時，感覺自己像是夾在毛毯裡被烤著。我把毯子踢開，汗水害我衣服都黏在背上。

「我真狼狽，得沖個澡。」蓋布利歐回來時，我對他說。

他扶我起身，我們準備穿過走廊，卻被克萊兒攔了下來。「妳這麼累，不要起來走動。」她說。

席拉斯正從其中一個房間出來，嘴裡咬著一片蜜糖餅乾，一面嚼，一面憂心忡忡地凝視我。

「我只是想沖個澡，沖澡能使我腦袋清醒。」我說。

克萊兒讓步了，但算是跟我各退一步。我得用閣樓的浴室，因為那間才有浴缸，而我該坐著泡澡。我甚至讓她幫我放洗澡水，她還在水裡灑了尤加利精油。「要找我的話，我就在外面摺衣服。」她說。每隔幾分鐘她就叫我一次，確定我沒睡著或被洗澡水淹死。

這個浴缸八成跟房子一樣歷史悠久，浴缸底下的爪形支架很有詩意地缺角泛黃。我用腳趾把玩排水塞的鏈子。

洗澡水令人神清氣爽，我一直泡到水都冷了才肯出來。然後牙齒打顫，拿浴巾擦乾身子，再把克萊兒為我準備的浴袍穿上。

她提議把多的那塊床墊搬到席拉斯房間，讓我今晚睡得更舒服，我想辦法婉拒，但下一秒只見席拉斯將那玩意兒拖下樓。

我步步為營，慢慢跟在他背後，濕答答的頭髮伴著我每個腳步往下滴水。

「席拉斯？」

每下一台階，床墊就砰地落地一次，這樣的「小型爆炸」震撼我的視覺。我抓緊欄杆。

「怎麼了？」

既然他問過我關於婚戒與蓋布利歐這個難以回答的問題，我決定拿到這裡第一天就一直惦念不忘的問題回敬他。

「葛蕾絲的事你很自責，對不對？」

砰！砰！床墊被拖過階梯。「對。」他說。他坐在底層階梯，床墊攤在他腳邊的地上，我往他身旁一坐。「我曾想怪妳沒帶她回來，可是一開始她被擄走就是我的錯。」

他頓了一下，給我機會為他辯駁，但我不發一語，於是他繼續往下說：「我們當時正在吵架，其實我們一天到晚都在吵。可是那天早上不一樣，有種不祥的預兆，我還記得天空有多藍。是不是很奇怪？我們一起走路上學，我抬頭望著藍天，感覺有什麼事不太對勁。」

「聽起來沒什麼奇怪的啊。」我對他說。

「一條長到人行道上的樹根害她絆倒，她書掉到地上，只好邊罵邊撿。我取笑她，她撞我一下。其實我想親她，只是心裡有數，她不會讓我親的。所以我說了什麼蠢話，但究竟說了什麼我也記不得。她一個人跑在前頭，她說：『席拉斯，你是大笨蛋！』就這樣，她拐過轉角，從此我再也沒有見過她。」

「她說不定會讓你親她。」我好心地說。

席拉斯笑了。「妳要說的就是這個？」

我思忖片刻。「對。」

席拉斯往下說：「無論有沒有接吻，反正我沒看到廂型車，也沒聽見有人尖叫。」

「當年你只是個孩子，相信我，就算被你發現了，你也打不過那些採花賊。」我說。

「或許吧，但這些我都無從得知，不是嗎？這才是最令人揪心的。」

「你愛她嗎？」我問道。

「我都不曉得她現在變成什麼樣子了，也不知道她遭遇了哪些事，這些年來的心路歷程又有什麼轉變。她連女兒都有了。」他往前一跪。「女兒。一句話都不會說的女兒。」

「如果她會講話，你願意跟她聊嗎？」

「不願意。」他實話實說。

我把手搭在他肩上，把他嚇了一跳。這令我不明所以，照理說現在的他應該很習慣女生的碰觸。

「也許你能把她救回來。」我說。

「這我想過，可是她已經十九歲了。再說，克萊兒——要她失去獨生女兩次未免太過殘忍，第二次等於天人永隔。況且，她需要我在這裡幫忙。」

他輕輕搖頭，一頭鬈髮宛若我心頭的鈴鐺鳴奏。

「最好還是算了。」他說。

不對，不對，不可以這樣。再怎麼樣，都不該對人放棄希望。

但我又想起哥哥。他放火燒屋，無論是為了找我還是為了逃離跟我有關的回憶，就此不告而別，這些都讓我悵然若失。

連日來我過著行屍走肉般的日子，不知怎樣才能找到他。

選擇放棄會比較輕鬆。對我、對羅恩如此，對席拉斯和克萊兒也是如此。

我方寸盡失，百思不得其解，腦裡的鈴聲大作，只能勉強說出：「或許你說得對。」儘管我知道這根本不對。我緊抓欄杆起身，用腳挪移床墊。「可以幫我把它鋪一下嗎？我真的好累。」

席拉斯幫我把床墊拖進臥室，我再自個兒整理毛毯和枕頭，因為他得去處理有關楓糖醬倒在鋼琴上的危機。

床墊不夠大，兩個人睡的話嫌擠；但蓋布利歐躺在地上時，我還是要他同我一起鑽進被窩。「我發誓不會吐在你身上還是怎樣的。」我說。

他鑽到我背後，我閉上眼。他努力靜止不動，但還是隱約挪動身子，表示他不舒服。我移位，挪到邊邊給他更多空間；他卻從未吐露半句怨言。

我說：「等我好一點，或許在這一兩天，就要開始找我哥了。只是找到他的機會渺茫。他偷的那輛貨車，外面多得是。可是，如果不試著找找看，我會恨我自己。」因為席拉斯的那番話說進我心坎裡：什麼都無從得知，才最令人揪心。這樣我受不了。對葛蕾絲來說或許太遲，但還有時間找我哥呀。「你不必跟著來。我都可以理解。都把你弄到這步田地了，實在沒理由再把你害得更慘。」

蓋布利歐沉默半晌，陷入沉思。他歪著腦袋，臉拂過我的頸背時，我疲憊的身軀彷彿注入了活力。「妳沒有從官邸把我拖走，是我自願要走的。」他說。

「因為珍娜要你保護我。」我說。

「妳是這麼想的嗎？」他屈身湊到我面前，我因而看見他的面容。我剛被他身體貼著的背很冰涼。「她是這麼要我做，沒錯。但在那之前，我就拿定主意了。」

「為什麼？」我問他。

「我為妳著迷，妳對外在世界這麼有信心，所以我也想見識一下妳眼中的世界。」他邊說邊順勢抱著我往回躺。

我苦笑幾聲。「現在你見識到了，一定覺得我是個瘋婆子。」

他沒吭聲，只是把我摟得更緊，在我的頸背種下一吻。沒過多久，我就進入夢鄉。

第二十章

某晚我精神錯亂，夢見逃亡搭的那艘船，感覺它搖呀晃的使我睡得更沉，把我載到一條條連綿不絕又發燙的馬路上。脆弱的百合花即使困倦仍綻出新芽，帶著血味的土壤顯得沉重。到處都是張口結舌的女孩，她們的黑眼睛蒙上一層霧，被人縱切的喉頭裂開，結成紅色的硬皮。她們的嘴動也不動，但我知道她們想說什麼。別忘了，妳可能是我們其中之一。

我的孿生哥哥雖然失蹤，我卻能在這裡找到他。他的身影在此徘徊，散發汗味和香氣、盡是塵土的氣息。他為了找我，在這群女孩中搜索；硬起心腸到令人悲痛的程度，對她們一點感覺也沒有，甚至沒把她們當人看；在他眼裡，他只知道這些女孩不屬於他，不是和他相依為命的妹妹。他踏上黑暗的旅程，探訪紅燈區的妓院和引擎空轉的廂型車，盡他最快的速度走遍千山萬水，因為年歲在他腳底下移轉如流。他找我的同時，我也在找他；然而，只有在他離去之後、我墜入夢鄉之時，我才感應到他。而他能感應到我嗎？

有時我覺得我們就要碰觸到彼此了。

我視覺衰退，色彩成了霧茫茫的、波浪狀的球體。我的睫毛濕而沉重，眼皮都撐不開了。「我在這裡。」我說，可是出口的嗓音化為異國的音節，變成醉後的呢喃。「我在這裡，你轉頭看。」或許該轉頭的人是我。問題是該轉向哪裡呢？

另一個人聲答覆我：「聽得到嗎？」然後更急促地問：「眼睛張得開嗎？」

我試著睜眼，這回睫毛沒那麼沉了。色彩顫晃，接著排成一行，形成堅實的影像。有個果醬罐裝滿從天花板裂縫滴下的漏水。然後是蓋布利歐殷切的眼神，他的手向我靠近，拂過我的臉頰。我臉上有濕濕的淚痕。

「嘿，歡迎回來。」他輕聲說。

他想不到什麼更貼切的話對我說了。我一進入夢鄉，便離他遠遠的。如今我又再一次空手而歸。

「嘿。」我說。我恢復原本的嗓音，清清喉嚨，用一邊手肘撐起身子，無視於闖入我視界的明亮光點。

我依稀聽見克萊兒在樓下廚房發出的聲響，金屬和陶器彼此相擊。孤兒壓低音量交談，咯咯竊笑，在屋裡跑來跑去。不知是誰張著好奇的大眼從沒關嚴的門縫偷看我，然後一溜煙就不見了。別間房裡有幼童在學字母表；假如學會怎麼看食譜，或許有朝一日能當上廚師，被家財萬貫的戶長買下。倘若女孩出類拔萃，長大後亭亭玉立，說不定能嫁入豪門或演肥皂劇，但她們敢奢望嗎？人生有了選項，他們自然興奮。只要不必沒來由地送命，做什麼都好。他們活力四射、異口同聲地朗誦字母：「A、B、C、D……」

我憶起西西莉從我臥室門口唸字母，問我「胎盤」跟「子宮」怎麼發音。

「我睡多久了？」我問道。

「妳睡一整個早上了，睡覺時還說夢話。」蓋布利歐說。

「是嗎？」我揉去臉頰的眼淚，但隨著夢境開始遠離，淚水也漸漸乾涸。

「妳好像做惡夢了。」他拿一條冰涼的濕布擦我額頭，我情不自禁地發出舒緩的呻吟。冰水流到我的太陽穴，在我的頭皮上繚繞。蓋布利歐噘起嘴，那八成是抹微笑；只不過他依舊愁容滿面，我知道我發燒的狀況肯定又惡化了。

我小時候得過肺炎，我還記得增濕器咕嚕咕嚕的水聲，好像我不順暢的呼吸聲，還有我咳嗽時，痰是怎麼在胸腔摩擦的。我還記得那種生不如死的感覺，但在某種程度上那也很自然。肺炎是人類的一種真實疾病，已存在好幾世紀，而我爸媽也知道如何醫治。

然而，這回是一種嶄新的感受，感覺不自然也治不好的感受，把我的思緒扭曲成詭異的夢魘，任我的身體灼燒乾枯，雙臂失去知覺。我的身體並不渴望水或藥物，甚至連輔助呼吸的儀器所釋放的暖煙我都沒興趣。我不曉得自己怎麼了，也不知道這是什麼情況。

蓋布利歐的碰觸好溫柔。我閉上眼，他的雙手開始對我呢喃沒意義的催眠曲。我像是懂了似地點點頭，不想讓他們以為我沒在聽。

「萊茵。寶貝，別離開我們。」

我睜開眼，只見克萊兒站在蓋布利歐背後。她的一左一右各站了一個小孤兒，一個手裡捧著裝滿青草的果醬罐，另一個拿托盤盛一碗燕麥片。他們看見我似乎很興奮，只是不敢再靠得更近。大概以為我的病會傳染吧。

「要吃點東西了。」克萊兒說。這句話由不得我質疑。這是她開的孤兒院，而她，是，皇后。孩子不聽話的時候，我曾聽她這麼吼過。「我，是，皇，后。」他們嚇得魂飛魄散、毛骨悚然；接著她眨眨眼，孩子們便咯咯笑著照她說的做。她散發的威嚴氣息，可比颶風和炸彈。

我試著坐起身子，蓋布利歐幫我把背後的枕頭弄蓬。拿燕麥片的孤兒把托盤擱在我大腿上，然後往後退，兩隻眼依舊盯著我瞧。拿果醬罐的孤兒則是把罐子放到托盤上的碗旁邊。我這才發現罐裡的青草上滿是瓢蟲。「跟妳作伴。」她說。她的聲音跟珍娜一樣氣若游絲，有那麼一瞬間我以為去世姊妹妻的小小軀體已重返人間，塞進這些紅糖果般的蟲子內。牠們不只在葉片上爬，也在我腦裡的迷津亂繞。我覺得自己就要哭了，無奈欲哭無淚；克萊兒把湯匙塞進我手中，這下我不得不進食了，因為，她，是，皇，后。

燕麥片裡盡是葡萄乾和杏仁片；渣滓像是西西莉茶裡豐盛的糖，在我齒間磨得嘎嘎響。那個胸部總是滲乳汁，雙眼哭得又腫又紫的西西莉，不曉得現在振作起來了沒有？是不是已取代我的地位，挽著林登的胳臂參加大小宴會？他是不是也為她倒香檳，叫她寶貝？

我的嘴正在麻痺。味道不再具有意義。蓋布利歐輕拭滴到我下巴的燕麥片，他的表情很驚恐。「要不要躺下？」他邊問邊準備扶我躺下。

克萊兒說：「不用，她需要的是進食。然後再泡個熱水澡。」這句話對孤兒們來說想必是個暗號，因為他們聽了都奔離房間。我目送他們離開，天花板的漏水在地板積成水坑，他們赤腳走過濺起水花。潮濕氣息的木頭和從敞開的窗子飄進的春風，使我想起我和哥哥住的那個家。

等燕麥片吃得差不多了，克萊兒掀開毛毯，扶我下床。只不過我的腿還是怪怪的，膝蓋不聽使喚地彎折，連向前邁步都有困難。不知為何，但我就是知道這不是流感。這只是某齣重裝大戲登台前的暖場。這種麻痺感宛若劇毒，從我的雙腿滲入血液，往上攀爬。它會抵達我的心臟和大腦，直到一切成了混沌不清的迷霧，我再也無法勾勒出嚴密的思緒，就像現在我無法踏出穩健的步伐。然後呢？我不知道。或許活不成了。我總是不由自主地把這件事怪到沃恩身上，但這又怎麼可能呢？他又沒跑來這裡下毒。我終於逃離他的魔掌啦。

珍娜的嗓音暖暖地呼進我耳裡：是嗎？

我依稀察覺這是所有恐慌的源頭。但我實在累癱了。緩緩踏進浴缸時，心裡想的只有洗澡水。真誘人。暖呼呼、冒蒸氣、帶著肥皂味。貨真價實的肥皂，不是滿山滿谷的金盞花或一小枝茉莉花。沒有奇怪的泡沫貼著我的皮膚剝剝爆裂，沒有絨毛製品，也沒有幻覺。

我泡澡的同時，克萊兒撩起我的頭髮，將一瓢水往我的頸背倒。然後用洗髮乳按摩我的頭皮；我昏沉沉地快要入睡，她的嗓音卻把我拉回現實：「寶貝，不要離開我身邊。」

「克萊兒？」我邊說邊揚起眉毛，但雙眼依舊閉著。「我覺得我快死了。」

「才怪，沒這回事。」她說著說著便抬起我的下巴，拿一瓢熱水沖我頭皮。「有我在就不會。」

不曉得為什麼，她的話就是能讓我笑逐顏開。即使這些話我一個字都不信。

「聽我說，我有個哥哥，他名叫羅恩。只要見過肯定會認得他，他那雙眼跟我一樣。假如我遭遇什麼不測，麻煩妳把他找回來。」我都不曉得自己在說什麼了。如果我找不到他，又怎能指望別人找到他？

「妳會自己找到他的。」克萊兒說。

「把他找回來，跟他說……」我話才出口，她就舀水往我臉上倒。我吸氣時水全往鼻孔灌，我吐出熱水，睜開雙眼。她又拿水澆我，臉上毫無悔意。

泡完澡後我渾身無力、發冷，把浴衣綁在睡袍外，無視席拉斯擔憂的目光，一階階慢慢下樓。我從他的眼底得知最糟的情況成真了。

接下來的兩晚，我又咳又吐，時睡時醒，很不舒服，再加上惡夢連連，害得我不斷囈語。這也把席拉斯給逼到沙發上睡。蓋布利歐則乾脆不睡了。只要我從惡夢中醒來，就會看見他備好冰毛巾和水杯常伴左右，靛藍的雙眸寫滿憂愁。他攙扶我走進浴室；我反胃時有他幫我把頭髮往後撩，輕撫我的背，讓我在浴室地板上蜷著身子，把頭靠在他膝上。

我肩膀抵著冰冷的瓷磚，心裡想的是：這想必就是珍娜的感受。這是我在她臨終前眼底所看見的痛苦。

但這些話我不能向蓋布利歐傾訴。這只會徒增他的煩惱，使他對孤兒院、流感，和我早日康復的希望破滅。於是我避重就輕地說：「我覺得珍娜不是被病毒害死的。」

「我也這麼認為。」他輕聲說。

「我的意思是，她雖然身上反映了所有感染病毒的病徵，但還是有什麼怪怪的。」

我倆誰也沒把懸在心頭的那個名字說出口。沃恩。我們不願將它帶進這間房。我閉上眼。

我有好一會兒沒動靜，於是蓋布利歐低聲問我：「睡著了嗎？想不想回床上？」

「不想。我不想動。」

他拂去我太陽穴上的頭髮，我輕輕發出滿足的聲音。我只想這樣躺在這裡，不想睡，不想說話，連動腦都不想。浴缸上方的小窗是開著的。雖是凌晨，尚未破曉，但窗外已捎來春日的溫暖氣息，彷彿有什麼在停滯的暮靄中腐爛、綻放。我這才發覺我一直貪戀著這種殘暴。幼芽強冒出土壤，花瓣怦然綻放。

生命的起頭總是殘暴對吧？生來就是要爭奪的。

我生於一月三十日，比羅恩晚一分半出生。但願我沒遺忘。但願我還記得那最初的激烈推撞、冷空氣的衝擊、氧氣呼進新生肺部的灼痛。每個人都該記得出生時的感受。只記得垂死的滋味似乎並不公平。

倘若真是如此，我拒絕這樣不明不白地死去，我拒絕這樣無聲認命地斷氣，我命不該絕。鐵藩籬和餐巾布上的花朵、與我同名的那條河、爆炸的實驗室、被採花賊擄走的女孩……全都在我腦海閃現，像是一盒散亂的拼圖。每塊都具有意義。這點我深信不疑。

後來我憶起久未浮上心頭的一件事。那時夜已深，我年紀還小。我還記得有多喜歡床鋪很大的感覺，這帶給我安全感。羅恩背對著我睡覺，有條毛毯宛若峽谷隔在我倆中間。不確定是爸爸或媽媽，其中一個打開臥室房門，房裡頓時湧現矩形的光。我閉上眼，像在玩捉迷藏似地躲進黑暗。我聽見有人在哥哥額頭上輕輕吻了一下，接著吻我，用手拂過我的髮絲。腳步聲漸漸遠去。只是光線依舊停在我眼瞼上。

「也許我們一開始就該跟他們說實話。」我爸低語。

「他們年紀還小。」我媽輕聲回話。

「年紀小但聰明得不得了。」

「再過幾年吧。」我媽的嗓音近乎懇求。我聽見我爸吻她。

「好吧，親愛的，好吧。」他說。一片黑暗，房門被關上。

我沒有對此質疑。我是那麼溫暖、被愛、幸福。對尚未了解的事充滿信心。等時候到了，一切自然水到渠成。

爸媽去世之後，傷痛的往事難以重提。我避之唯恐不及。但是最近這些回憶似乎別有意圖。刻不容緩。我重新接納爸媽，就像他們還在世那樣，讓他們的聲音在我腦中顫動。

今晚我夢見媽媽在睡前吻我，世界在她的脖子上擺晃，而我伸手想要抓住它。

第二十一章

隔天我開始演戲。下床，走進廚房，逼自己吞下一碗燕麥片和乾吐司。之後我想吐，只好挺直腰桿坐著，等作嘔的感覺消退。我吃了克萊兒給的阿斯匹靈，對那些眩目的光點視而不見，只顧著洗碗盤，絕口不提今早綁馬尾時抓掉一把頭髮。

沒想到演戲要比病痛更累人，一到中午我就躲進小屋，倚著一輛用防水帆布蓋著的老爺車歇口氣。那裡彌漫著廢棄物污濁、灰塵滿布的氣息；零碎的小玩意兒嚴重鏽蝕，教我無從辨別架上究竟擺了什麼。

整個早上我都裝作健康的正常人活動著，雖然不知演技是否真的騙得了人，但我刷浴室瓷磚、從客廳地毯吸乾掉的麥片時，克萊兒沒有半點異議。現在我該清點存貨，看少了什麼生活用品，好寫一張購物明細。

我只需要幾分鐘的時間辨明東西南北。我一面釐清千頭萬緒，一面想像羅恩可能的去處。我們的親人都不在世上了，兄妹倆又一直獨來獨往。

我能確定的是，只要他相信我還活著，就一定會來找我。就算以為我死了，也會為我報仇。羅恩從來不做沒用的事。任何事都有其目的。採花賊將沒人要的女孩殺人滅口，但棄屍的地方何其多，羅恩得待在同一處好久才能全部搜完，再繼續前往下一站。只不過，一年前丟棄的屍體現在早爛光了吧。假如他還在找我，就表示他認為我還活著。

現在的問題是：我要上哪裡找他？小時候師長教我，迷路的話最好待在定點，這樣別人比較好找到我，但是現在我們兄妹倆都在移動。可以確定的是，他不會回來這裡找我。

我走回主屋，沿途依舊在想辦法。我在卑微和重複的家事中獲得慰藉。蓋布利歐幫我摺毛巾，說我臉色沒那麼蒼白了。不曉得這是不是場面話，因為我還是同樣難受，只是死撐著把晚餐吃完。

「現在覺得怎樣？」席拉斯一邊問，一邊把我遞給他的碗盤擦乾。

「好多了。」我說。

「是哦，妳看起來還是很慘欸。我還是睡沙發好了，不太想被妳半夜的奪命連環咳給驚醒。」他說。

「那是因為你白天約會行程排太滿，晚上才非得睡個好覺。」我說。

但值得慶幸的是，我跟蓋布利歐終於有屬於我們小倆口的房間了。我爬上床墊，來到他身旁；他手伸過頭頂關燈。

「妳好像好多了。」蓋布利歐說。他那如釋重負的口吻教我聽了不敢告訴他我依舊覺得難受的事實。

我嘆了口氣，把頭歪向他的腦袋，只是點點頭。

我不想談我感覺怎樣。也不想談我們會在這裡待多久，或要等多久才會找到我哥，又或者到底找不找得到他。我不想談任何跟時間有關的事，所以只是幽幽說了句：「好久沒有看到你的笑容了。」

黑暗中彷彿有什麼頓了一下，然後他發出輕笑。「怎麼突然講這個？」

我就著席拉斯時鐘的柔弱光線瞪大眼看他。「隨便聊聊嘛。」

「這個關頭不該笑。」他說。

我雙臂伸過頭，打了個哈欠。「這個關頭棒呆啦。怎麼？你不同意嗎？」

我倆都意興闌珊地輕笑幾聲。他手指拂掠我的下巴，感受笑意盈滿我的雙頰。「妳很累吧，老是靜不下來。」他語帶憐愛地說。

「現在不是靜下來了。」我說。追逐的事物始終閃躲，讓我疲於奔命。

珍娜某天傍晚對我說的話再次浮上心頭。當日暮西山，萬物映染成或粉或黃時，這意味著沒過多久佣人就要叫我們進去吃晚餐了。我們用盡氣力、汗流浹背地躺在彈簧墊上。我很肯定我們至少跳了一小時，一開始還嘻嘻哈哈，但後來只顧著喘氣，逼自己愈彈愈高，輪流把彼此往上推呀推，宛若垂死的小鳥，只有微乎其微的意志振翅而飛。

之後她在一片寂靜中向我伸手，她偶爾就是會這麼對我。她的指頭總是牽引著她的妹妹的鬼魂。雖然妹妹的事她絕口不提，我也不曉得她們叫什麼名字，但我就是知道每當珍娜安撫發飆的西西莉，或者輕拭我的淚水，她就會想起自己是怎麼照顧妹妹的。

「妳知道我們為什麼會嫁給林登嗎？」她問道。「要是把我們當馬圈養，再放出來繁殖後代就算了，但偏偏不是那樣。我們不是寵物，是妻子，這樣反而更糟。」

我想了想什麼叫做圈養、繁殖後代，然後揚起目光，凝視天邊一朵好似殘缺章魚的雲。「怎麼個更糟法？」我問她。

「因為假如不是人妻，關係就單純多了。強奪民女、逼她們就範。可是從前人們結婚，為的是共同生活；發生親密關係，這也意味著你情我願。所以，我們失去的不只是自由，還包括了『不快樂』的權利。」

起初我不能理解。雖然被押來當新娘我也是千百個不願意，但這總比當倚門賣笑的娼妓或無名的生孩子機器要好。「我們還是有不快樂的權利，只是要在林登面前演戲而已。」我對她說。

她聽了只是苦笑。「哦，萊茵。」她說。她翻身壓到我身上，雙手捧著我的臉，笑容何其哀傷。「我們誰也沒有演戲。」

蓋布利歐歪著腦袋看著陷入沉思的我。他的雙眸富有朝氣、寫滿好奇。他也一直被囚禁，這時我才赫然明瞭珍娜的言外之意。

我在涼亭和林登成婚時，被他握著的手是無力的；我的目光將他穿透；唸婚誓時，我左耳進右耳出。過了好久，他對我說話，我臉上浮現的笑容全是逢場作戲。我和他接吻，也只是為了有天能逃跑。

「妳在想什麼？」蓋布利歐問我。他對我毫無所求，讓我留在他身邊的原因只有一件事：

「抉擇。」我輕聲答道。「我想的是抉擇，」說到這裡我便屈身吻他。

他即刻回吻我，我們對彼此的反應很快就能察覺到。

我做的這個抉擇是對的，是吧？官邸外的生活既不美好也不輕鬆。如今我懷念的淨是妻妾樓生活中無所謂的小煩惱：西西莉睡不著就會爬上我的床；我想圖個耳根清靜，姊妹妻卻偏偏玩樂嬉笑、尖叫不斷。還有林登，即使他人不在場，卻像從未遠離。每一天的每分每秒總是有他如影隨形。即使他人不知去向，在一天結束之前他總會回來道聲晚安。

只要關於他的回憶一湧上心頭，我就立即將它拋諸腦後。我無權想念林登・艾許比。他愛怎麼揮霍時間都行，而他的妻妾卻得在牢籠苦苦守候。我逃跑是對的。就連心甘情願做他階下囚的西西莉，都有判斷力認清這點。少了這幾道防護牆的人生雖然辛苦，但至少是屬於我的。

我閉上眼，感受身旁的蓋布利歐在挪動身子時朝我臉上呼出的氣。他輕喚我的名字，彷彿那是世上最珍貴的東西。「怎麼了？」我問。然而，我倆的唇早已碰觸，刺激我的每條神經、肌肉和血管，使它們奇妙地向上竄升。所有的感官都警醒過來，嗡嗡作響。

這是我們第一次在我洗卻婚姻的污名下、少了姊妹妻在走廊逼近，也不是為了姨娘的邪惡表演下接吻。我吻出聲，接著他也如此，只是聲音縹緲，難以辨識。

我不會將這樣的心醉神迷和高燒導致的精神錯亂混為一談。這是種突如其來，教人始料未及的幸福。也是正在我們周圍消失的世界。

我腦中只閃過一絲男人摸我大腿的回憶，蓋布利歐的手指一拂過該處，就將那段不堪的往事抹滅，捎來令人激顫的溫暖與光亮。過往的種種如今像是百萬年前發生的事，這是我結婚以來一直嚮往的自由。同床共枕，不只是為了一枚婚戒或為了遵守為單方面打造的承諾，而是出於渴望。難以言說卻又無可否認。我從沒對其他人這樣渴望親密過。

他伸手探進我的裙裡，手掌貼平我的肚子，接著頭稍微往後仰，再來就一動也不動。

「怎麼了？」我問他。

「妳摸起來好燙。」他說。

「我沒事啊。」

「妳能不能跟我老實說？」他聽起來動怒了，我感覺只要被他碰到，我的身體就會皺縮。我張開嘴，但腦袋能想到的話都只會火上加油。

「出狀況了，是不是？而妳卻一直瞞著我。」他說。

我沒答腔，他便坐直身子，抽離我身邊。

「蓋布利歐……」

他開燈望著我，頂著一頭亂髮，眼神陰鬱，表情顯示擔憂和不知什麼來著……憐愛？傷痛？

「這件事別想自己一肩扛。」我不習慣他講話這麼激動。這倒也公平，畢竟他為了跟我走而放棄所有，我欠他一個真相，這也是我唯一剩下能給他的了。

我邊說邊坐直身子。「好吧，沒錯。我一直感覺很難受，也不知道是怎麼回事。我很害怕，可以了吧？」

我又往床墊上倒，摟緊毛毯背對他。

「萊茵……」他碰我肩膀一下，但我緊繃的身子令他退卻。他如此無聲無息，我還以為他走出房間了，我這麼神祕兮兮、扭捏閃爍，想必令他挫折不已，無法再面對我。

後來我聽見他氣若游絲地說了聲：「沃恩。」

我坦承。「或許吧，可是我想不到他是怎麼辦到的。」

蓋布利歐又碰我肩膀一下，在我背後的床墊躺下。「我不會讓他傷害你的。」他說。

「你要怎麼阻止他？」我其實不是有意這麼挖苦他的。

他吻我的頸背，一股電流隨即竄上我的背部。

「這交給我操心就好。」他說。他手伸過頭，再次把燈關上。

我躺在床上試著入睡，想起先前蓋布利歐擊退餐廳老闆格雷後對我說的話。

我再也不會讓任何人那樣碰妳。

但萬一真被他說中了，沃恩真是我患病的起因，那又能怎樣呢？這玩意兒已深入我的組織和血液，由內而外地將我摧毀，他又能如何保護我呢？

話雖如此，疲累遮蔽我的理智，說也奇怪，我竟感到平靜。

我不會的，當時他的保證使我籠罩在溫暖中，就像他此時此刻這樣對我。再也不會。

隔天早晨一聲砰然巨響將我驚醒。我睜開眼，嘴裡咕噥著咒罵的話語；同時有一疊書在我眼前聚焦。我的腦袋像是裝滿碎玻璃，我只能勉強說出兩個字：「這啥？」

「醫學期刊。」蓋布利歐邊說邊往我的床墊上坐。

「我們在小屋的一個箱子裡找到的。」席拉斯說。他倚著門框，像握三明治般手拿煎餅，咬下一口，煎餅頓時只剩一半。「克萊兒當過護士。」

我披頭散髮，費了九牛二虎之力才坐直身子。蓋布利歐遞給我一杯水，水擱在我身邊一整夜，早就變溫了。我勉為其難地啜飲一口，問道：「要拿它們幹麼？」

「找出問題的癥結。」蓋布利歐說。

「小朋友，那祝你們玩得開心囉。」席拉斯塞進最後一口煎餅，滿嘴食物地說。他雙臂高舉過頭，一邊擊打門框的頂，一邊退場。「總得有人真的去幹活兒。」

我跟蓋布利歐花了足足一小時埋首書海，從流行性感冒查到壞血病。疾病真是不勝枚舉，某些病我做夢也想不到。有的腫瘤重達人類體重的兩倍，還有些病能使牙齦出血、腳趾甲變黃，或是神經失調、導致幻聽。

至於我的病徵，每份原始資料似乎都顯示我得的是流感。咳嗽、發燒、頭昏眼花。沒有哪個類別討論恐懼感、感知功能出差錯。也沒有章節研究邪惡的公公，或能在迷宮似的地下室幹什麼勾當。

書頁攤在我們中間的毛毯上，我們愈想往下探尋解答，我愈能感受蓋布利歐的拚勁。他開口時視線仍未離開書頁，起初我以為他要高聲朗讀某段文章，沒想到他說的是：「我們得找他把話說清楚。非回官邸不可。」

「你說什麼？你瘋了嗎？」我說。

「他跟蹤妳到姨娘那裡的，對吧？或許他說的有幾分真話。或許他想跟妳說妳的病是怎麼回事。」

「又或許他只是想把我騙回去，好把我切成兩半，寫一章跟生命器官相關的變態實驗，主題是虹膜異色症，同時也能跟他兒子唱反調。」我厲聲反駁。「我不會回去的，你也不准，他會把我們給殺了。」

蓋布利歐從書頁間揚起目光。他目露凶光，令我心頭一怔。「看看妳這什麼樣子，他現在正一點一滴地將妳摧毀。我猜他追到紅燈區的時候，就是打算醫妳身上的病。」他說。

「這根本說不通嘛。」儘管心裡有一小部分贊同，我還是死鴨子嘴硬。

「誰說的？」蓋布利歐問我。「也許妳逃跑了迫使什麼實驗中斷啊。」

「這個嘛，依我看，只要我回去就必死無疑。」我說。

蓋布利歐把視線移回書上，咕噥著說什麼珍娜說得沒錯。

「這跟珍娜有什麼關係？」我說。

「她太了解妳了。她說得沒錯，是妳自己看不清。沃恩才不要妳死咧，妳死了對他來說有什麼用？他想知道什麼能讓妳活命，為什麼妳兩隻眼睛不同顏色，妳身上有東西能帶給他希望。」

我想起珍娜有多熱心幫我逃跑。那天午後是怎麼默不作聲地溜到地下室，我問她怎麼回事，她又是怎麼拒而不答。令我傷心的是，這些事她居然只跟蓋布利歐分享。她是頭擱在我大腿上斷氣的，這些祕密那麼多都與我有關，她竟一個字也不肯跟我提。

我回嗆他。「不要跟我提珍娜。你很確定她無所不知是吧。那你知不知道她現在到哪裡啦？死了。跟蘿絲一樣躺在輪床上給布蓋著。就算沃恩的計畫不包括殺我滅口好了，我也不要回到那個鬼地方去查這究竟是怎麼回事。」

頁面在我的指間顫抖，我闔書的瞬間剛好看見它被奪眶而出的淚水淹沒。「我不回去。」我複述道。

我的腦袋在轟隆作響。我聽見血液裡有人低語，所以心裡有數，心裡有數身體裡有什麼致命的玩意兒，而這些教科書全都解釋不了。蓋布利歐爬過床墊，來到我身旁，雖然我明明對他氣得抓狂，卻還是把頭倚在他肩上。我渴望獲得安全感，哪怕是暫時的也好。

「好，好，好，聽妳的。我們再找別的辦法治病。」他對著我的耳朵輕聲說。

儘管不信，我還是點了個頭。作嘔感像是漲潮，這回更傾巢而出。我的神經全都甦活，猶如含苞待放的花揚起頭來。我望著他，他的拇指才剛拭去我臉頰上的一滴淚，我便投懷送抱吻上他。

他回吻我，所有散在我們周圍的期刊好似待解的謎語。讓它們等等吧。讓我的基因展開，我的鉸鏈鬆開。倘若命運真掌握在狂人之手，就讓死神上門，任不幸降臨。倘若這意味著自由，我願將這座有炸成坑的毀壞實驗室、枯木，和空氣中瀰漫粉塵的城市照單全收。反正我就要死了，也活不到一百歲等靜脈都長出鐵絲。

我往床墊上倒，當他的唇與我分開，我才發覺我在發抖，亢奮，雙手時冷時熱；但我趁他被憂慮掩蓋前，又將他拽回我身上。

有本書因為我的體重往床墊下滑，像在提醒我似地輕叩我的腳踝。我把它踢開，只見它宛若剛被我壓扁的蟲子掉到地上。

第二十二章

到了下午，我窮盡力氣做卑微的家務事，抹掉鋼琴鍵盤、櫃台、桌面上的黏膩髒污。席拉斯洗碗，我則負責將它們擦得一塵不染。

「公主，感覺怎麼樣了？」他邊問邊把一個嬰兒防漏水杯遞給我。

「好極了。」我專橫地說。以前我覺得他狗眼看人低，現在才發現我們其實沒什麼不同。

他跟年輕女孩幽會，不動真心地談情說愛。那些女孩心甘情願地上鈎，甚至有如飛蛾撲火；依我看，她們跟紅燈區那些拿肉體換錢財的姑娘完全不同。席拉斯跟和他的女性愛慕者們看透人生苦短，所以只要能尋歡作樂就絕不放過。我又怎能拿這個數落他們？我不是也做同樣的事嗎？知道大限將至，便只想著及時行樂。

席拉斯撞我肩膀一下，差點撞落我正在擦的餐盤。「妳在笑什麼？」

「什麼意思？因為今天天氣好，就這樣啊。」我說。

席拉斯示意我看窗外，只見烏雲在天空徘徊。「最好是啦。」他覺得我瘋了。或許吧。

或許我跟瑪蒂一樣，在自己的腦袋裡迷失方向；她沉迷在自己的小宇宙，不給外界機會一聞她的嗓音。有時我希望見識一下她眼中的世界。想嚐嚐那是什麼滋味。

「喂，妳要去哪裡？」席拉斯叫我。自來水在他指間潺潺奔流。

「歌曲的心臟。」我邊說邊走開，朝隔壁鋼琴合音的位置前進。

妮娜彈奏的模樣好像天使。她那只剩皺縮小手的左手臂晾在身旁，右手臂則在琴鍵上舞動，喚起喘息或如子彈飛射般的顫音。

瑪蒂趴在鋼琴底下，披頭散髮、弓著肩膀、眼神狂亂。她是隻落單的野獸，人小但膽大。我躺在小地毯上與她倆倆相望，好奇地眨眼。

「妳知道我爸以前是怎麼說的嗎？」我問她。「他說每首歌都有一顆心臟。當樂曲進入主旋律階段，能使血液從頭衝到腳趾。」

她爬向我，然後坐著歇息。她像個俯視一池深水的小傢伙，而我則沉在遙遠的池裡。我的眼皮好沉。她在我眼前變得朦朧，然後隨著歌曲和它的心臟消失。

「……茵？萊茵！」

酸酸的東西湧上我的喉頭，我一陣作嘔。一隻手臂從我肩膀後頭伸出，及時將我拉出深淵，讓我吐在自己的大腿上。我因為灼痛感而喘氣、哽咽。

「吐了就好，全吐出來吧。」克萊兒柔聲安撫，拿濕布擦我的臉。

這大概是我勉強吃早餐的下場。當我睜開眼，感覺像是有人在我眼睛上塗了一層藥膏。我又稀里嘩啦地狂吐一陣，吐完後我身子側躺。克萊兒說：「讓這丫頭呼吸，給她一點空間。」

席拉斯和蓋布利歐正在交談，但他們說的話我一個字也聽不懂。冰冰小小的手指拂掠我的額頭，是瑪蒂。姨娘怎能對這麼無害的小傢伙動粗？

妮娜向我湊近。「妳嚇到她了，她以為她把妳弄壞了。」她是瑪蒂的代言人，輕輕為她發聲。

「不是她，不是她，是別人。」我呢喃道。我的嗓音微弱，擔心出不了聲。

接下來發生什麼事我記不清了。只知道有人扶我上樓，依稀察覺我在清涼的浴缸泡澡，然後是柔軟的浴巾和牢固的床墊。有什麼冰冰的東西壓在我額頭上。是冰袋，我聽見冰塊像石頭一般地挪移。結凍的氣息刺激我的鼻孔，但整體來說使我得到緩解。「休息吧。」有人低語道，我聽話照辦。

當我甦醒時，窗子對我展露一片夜空。我聽見孩子在屋裡竊竊私語，克萊兒規勸他們壓低音量：「噓、噓。」

我躺在席拉斯的床上，腦袋像是塞滿棉花。我盯著床畔時鐘的數字，卻怎麼也讀不懂。

「醒了嗎？」蓋布利歐問我。他從一片書海抬頭看我。

我賣力地用一邊手肘撐起自己。頭蓋骨裡不知有什麼東西正氣惱地嗡嗡作響。「怎麼了？」

「克萊兒說一定是癲癇發作，不過這只是她的臆測。妳倒在地上，渾身高燒通紅，無論我們怎麼做都喚不醒妳。」他話裡盡是溫柔，舉起一份醫學期刊，表情高深莫測。「我猜妳會很感興趣，它不但不像癲癇，我找得出來的那些病也跟它沒得比。」

我往回倒，用掌根揉眼，想平息耳鳴。我對自己喊話：動腦想啊。兩個科學家的女兒肯定不會被它打敗的。但我的才智怎樣也比不上爸媽。浮上心頭的只有哥哥的字條，在燒焦的、揉爛的紙張間，那些潦草的筆跡。他在列清單，試圖釐清什麼事。我跟我哥在各自的戰場作戰。假使可以團聚，或許就能在彼此間找到答案。

「我們非走不可。」我說，並試著清清自己沙啞的喉嚨。

蓋布利歐滿臉期待。「回官邸？」

「去找我哥。」

蓋布利歐搖搖頭。「這不是當務之急。」

「你怎麼能說這種話？」

「因為妳快死了！」他厲聲斥責，房間裡陷入沉默。他懊悔地盯著攤開的書，顯然他不是有意要這麼說的，但他確實在思考這件事。過了幾秒鐘，他輕聲複述道：「妳快死了，但我沒辦法眼睜睜地看妳斷氣卻坐視不理。」

我挺直腰桿坐好。我的血液彷彿化為細沙。我是沙漏。細沙從我頭頂一湧而下，我能聽見它唰唰作響。「羅恩或許能幫忙。」我說。

「或許吧。」蓋布利歐說。「可是妳人在這裡，我們又不曉得他上哪裡去，沒時間可以揮霍，翻遍全國上下。」

我無從辯駁。張開嘴，話卻離不開唇間。多點時間。我只需要再多點時間。我知道他說得對。我知道所有問題的解答可能都在我逃離的那個地方。我知道我的狂人公公既能謀殺嬰孩，或他兒子不聽話的新娘，也有辦法創造奇蹟。

我怎會淪落到要受他擺布的境界？我上輩子究竟犯了什麼惡行才會得到他的關注？

我堅持己見。「那就找大夫，不然找巫醫。或是先知！找其他什麼人都行。」床鋪傾斜，我抓緊邊角。蓋布利歐見狀便安撫我躺下，他把我當孩子似地將毛毯一路拉到我的下巴。

我假裝自己重返官邸。不是當沃恩的囚徒，而是作林登的嬌妻。我夾在絲綢床單間，為羽絨枕頭包圍，我的姊妹妻在走廊另一頭安睡。靜下來，仔細聽，我能聽見她們的呼吸聲。蓋布利歐趕在日出前送早餐給我，那時空蕩蕩的走廊仍充斥著時鐘的滴答作響，薰香棒燒了一整夜的裊裊輕煙也剛自動熄滅。稍晚逗我開心的會有彈簧墊、橙花，和輕輕甩尾的鮮橙色錦鯉。沒什麼值得恐懼，人人平安無事。

蓋布利歐手背貼著我的額頭，不悅地抿緊嘴唇。「明天我們去找醫院。」他說。

「好。」我輕聲答覆。

我累得閉上眼。「要上床睡覺了嗎？」我問他。

「還沒。」他說。我感覺他的重量離開床墊。後來伴著他的翻頁聲入夢。

我醒來之後，屋外天色仍暗。蓋布利歐正在熟睡，一手環抱我的腰際，下巴抵著我的肩膀。

我身上的每條肌肉都在發疼，嘴裡有股苦澀的銅味預告我將生病。但疼痛代表我的病情有了進展，意味著我的四肢不再麻痺。我可以移動，就這樣輕輕緩緩地離開蓋布利歐的雙臂。他手指抓著我的襯衫，我將它們逐一拉直。他嘴裡咕噥著什麼，然後摟著枕頭趴睡。

我動作輕巧地爬出毯子，走向廚房，免得將他吵醒。我從流理台上方的碗櫥拿了點阿斯匹靈，希望它能讓使我不再反胃。我用手接了點水把藥吞了。

然後我關上碗櫥的門，迎頭撞見玻璃中的一具金髮女屍。她宛如從我在佛羅里達的劇院看的電影走出來的殭屍，全身是病態的灰色，兩眼凹陷，嘴唇蒼白，頭髮稀疏。

我別過目光，嚇得驚魂未定，只願讓那個女孩當陌生人。我得趁早上被人看見前先梳洗一番。

我穿過走廊，周遭許多人的呼吸為我帶來慰藉。有的孩子有屬於自己的床，有的得像沙丁魚擠成一團。

我經過客廳。席拉斯，也就是沙發上一塊沒固定形狀的毛毯山，對我說：「妳晚上在這裡陰魂不散的樣子，跟鬼沒兩樣。」

「噓……」我用氣音說。

他咯咯竊笑，笑聲隨著他返回夢鄉而漸漸消逝。我走到客廳另一頭，再進廚房為自己泡一杯茶。

我可以聽見屋外徐風輕嘆。我踮起腳尖走過正在打鼾的席拉斯身邊，開門呼吸春日的氣息。這個小行政區說也奇怪，到了夜晚就是有它迷人之處。我帶上背後的大門，坐在頂層的台階。我跟主屋離得很近，和街道仍有段距離，一遇上什麼突發危險，隨時可以衝回屋內。

不過一切風平浪靜。我眺望這條街上朦朧的墨色房屋，營養不良、骨瘦嶙峋的樹，曬褐的枯草。我知道我命中註定該在這裡。我一出生，這個世界就已走向滅亡；我屬於這裡。就連全像投影的海洋和旋轉的華宅影像也比不上。因為，就算謊言是美麗的，到頭來還是得面對真相。

這裡還有點別的什麼，跟其他東西擺在一起很礙眼，因為它不屬於這裡。我在黑暗中只能看見它漸漸靠近——有輛黑色禮車停在人行道旁。不曉得今天是什麼日子，大概是誰家的小孩被人買走了吧；這條街上應該有別家孤兒院，肯定不是要接人參加宴會的，這不是黃金地段。

引擎空轉了一下，然後熄火。

緊接著我整個人充斥著反胃的恐懼感。因為這輛禮車看來分外眼熟。

副駕駛座的車門開了，我望著男人的暗影步出車外。他束緊脖子的圍巾，踏上人行道，歪著腦袋看著我。

「美麗的夜晚適合觀星，對吧？」他說。

聽到這個聲音我全身起雞皮疙瘩。

逃！逃！逃！瑪蒂過往的警告頓時浮現腦海，但我莫名愣在原地，雙手緊抓我的那杯茶。「你怎麼找到我的？」我說。

「不是這樣迎接公公的吧！我知道妳講得出更窩心的問候。」沃恩說。

我聽見咔嗒一聲，然後沃恩弓成杯狀的手中冒出一道火焰。我過了一會兒才發現他其實不是徒手握火，而是拿了一根小蠟燭。他向我走來，我往門口挪移，但他在離我兩碼遠的地方止步。

「火真是厲害的小玩意兒，對能想到用火妙方的機靈女孩來說更是如此，像是放火燒窗簾，聲東擊西？」他說。

火光將他笑容下的百條皺紋展露無遺。

我最恐懼的夢魘到來了，而我怎麼會無法動彈，依舊緊握茶杯不放？

我慢慢起身，把他看作毒蛇，不敢輕舉妄動。他一個箭步上前，我為之退縮。

他只是笑了幾聲。「親愛的，放輕鬆。我不會放火燒屋的，妳擔心的應該是這個吧。畢竟屋裡淨是那些無助的孤兒和妳的真愛嘛。」

他向前逼近，最後來到底層台階，把蠟燭舉到我面前。冷空氣中突如其來的暖意馬上害得我流鼻水。

沃恩嘖了兩聲。「妳氣色不太好。看看妳的眼袋，頭髮都成稻草了。親愛的，妳怎麼自暴自棄呢。」

「人在江湖，身不由己。」我心酸地說。

沃恩充耳不聞，繼續往下說。「妳始終美得銷魂。狂野但動人。妳也知道，就是這樣我兒子才會拜倒在妳的石榴裙下。」

他將我一綹髮絲往肩後攏，再次目露慈光；記得我與他在高爾夫球場散步時，是我第一次見他綻露慈愛的目光。當時我心頭一怔，震驚至今依舊不退；我唯一的敵人竟能在轉瞬間化身為他溫文爾雅的兒子。

渴望好似利刃猛地在我身上劃過一刀，教人措手不及。倘若非得要有誰把我拽回那座監獄，我希望那個人是林登，他眼底總是滿溢對我的愛，雖然我從沒真正相信那是真愛。

沃恩的手指從我頭皮開始輕拂，順著頭髮往下摸，來到我的肩膀，接著使勁一抓，力道大到我可以感覺他的指尖刺進骨頭。「我倆好好聊聊。」他說。

我大可放聲尖叫，這樣蓋布利歐、席拉斯和克萊兒馬上就會趕來門口，還有好幾雙眼在他們背後眨呀眨。然而我的目光只鎖定在火焰和它所代表的意義。小小警告的背後是個巨大的毀滅。如果要把我再抓回去，就算要放火燒屋，將這裡夷為平地，害所有人葬生火海，他也在所不惜。但我知道他是衝著我，不是衝著他們而來。

那些刺眼的光點又回來了，好似我待在官邸的最後一晚，夜空紛飛的雪花。我跟林登在陽台賞雪，任由雪花沾在頭髮上。

我沒移動，沃恩也沒試圖拉我。我知道他不會把我塞進禮車後座，逼我又踹又叫。這不是他的作風。但我也很清楚他胸有成竹，我最後無論如何一定會進他的車。他咧嘴而笑，一臉勝券在握。

「妳感覺怎樣？有什麼沒來由的症狀？像是發燒？」他問我，再次輕輕拂去我的髮絲。

我開始呼吸不順。希望來這裡的是林登而不是他父親的無助渴望，雙倍，不，是三倍劇增，化為醜惡的事物。這股電流使我耳朵嗡嗡作響。

「只是流感而已。」我冷淡地說，但連自己都無法信服。

「妳的免疫系統在罷工，現在抗體在妳的血液裡流動，試著對抗一種根本不存在的外來細菌。也許妳試過服藥，那會帶來相同的效果，也就是毫無效果可言。妳的神經正在失去知覺。四肢末端沒來由地麻痺，尤其是醒來之後。」他說。

我肩膀一扭，把他甩開。「你對我做了什麼？」

他竊笑道：「親愛的，是妳自己搞的呀，妳進入戒斷狀態了。」

戒斷狀態？不，這不可能呀。注射天使之血是幾星期前的事了，不可能還殘留體內。況且蓋布利歐的戒斷過程更要人命，但他現在不也康復了。

沃恩試著在我的眼眸尋找理解的目光，但我只是一頭霧水地望著他。

「像妳這麼聰慧的女孩真的不懂？」他問道。

他樂在其中。

「六月豆。」他說。

這時他扯起題外話，但我很難聽懂他說的話，因為我原本早在捲繞的思緒已開始麻木。我猜他是故意搞得這麼複雜的。藍色的六月豆——特別是藍色的——送餐給我的托盤上總是少不了那些糖果，就算蓋布利歐沒辦法偷渡給我，它們仍照樣現蹤。這是測試戒癮心理和抗生素抗藥性的一種實驗。

「這是項革命性的實驗。」沃恩讚不絕口地說。「戒癮的唯一方式是漸漸減少劑量。如果一次斷個乾淨，就會發生很奇妙的事。人體會像面對病毒最後階段那樣，開始停止運作。起初感到不適，如作嘔啦、頭疼啦。但後來身體會失去知覺，大腦感受痛覺的功能會閉塞不通，有點像是逐漸死於失溫。」

珍娜。這個名字爬上我喉頭，但我沒高聲唸出。他要說的是，他正是這樣整死珍娜的。跟在我內心迸發的恨意相比，他手裡握的那把火根本不算什麼。

「我引以為傲，這個概念才剛起步。人們為了預防流感，會接種流感疫苗，而疫苗本身即是小劑量的流感。所以我的構想很簡單：複製病毒的症狀，慢慢操控它，經過幾年之後人體便能逐步建立免疫力。」沃恩說。

我感到反胃。腳底下的路面彷彿在歡快地躍動。我始終相信他動手殺了我的姊妹妻，但聽見他親口證實卻比我預想的更錐心難受。

他笑著說。「妳是我的最佳受試者，一開始我鎖定的人選是西西莉，因為她最年輕，但她身體的化學反應已隨懷孕起了變化，所以只好捨她不用。至於妳……林登說妳不願配合行房，問我該怎麼辦，我勸他順著妳的意思。出人意料的是，他竟然這麼輕易就答應了。光是凝視妳，他就得到滿足；聽到妳的名字，他的白日夢就能變得狂野。所以我知道妳不會太快懷孕。」

光是知道這段對話確實發生過，就足以讓我確定我必吐無疑。想想那些和林登同床共枕的夜晚，我倆緊緊相擁，緩解各自的寂寞苦楚，我那詭計多端的公公居然全都知情。想想我們的吻，被人分析；我們的碰觸和目光交錯，也只是沃恩瘋狂實驗下的筆記，我覺得受到侵犯。

我迷迷糊糊地察覺自己在走路。沃恩領我走向禮車，為我開後車門。「萊茵，妳可別做傻事哦。」他說。他很少叫我名字，所以一說我就像被針扎。「一把妳接回家，我們就能馬上替妳醫病。不然妳也可以在這裡自生自滅，但我也相信這棟屋子裡的每個人都會一同陪葬。」

我知道他可不是開玩笑的。我凝視車內，望著皮革的車座，我和姊妹妻還不曉得彼此姓啥名誰就坐上的座椅，我們像是三隻驚弓之鳥，縱使殘酷的死刑已免，卻被判了終生監禁。而在車頂的天窗下，有我跟林登遺留的痕跡，他第一次參展完，和我一同啜飲香檳，彼此依偎，溫暖醺然，伴著笑語打嗝。

「親愛的，上車吧，我們回家。」沃恩說。

我照做了，在這短短路程中我很清楚，這將是我最後一次坐車。這回迎接我的，是比婚姻更駭人的東西。

「妳還戴著婚戒啊。」沃恩一邊說，一邊在我身旁坐定位。我幾乎感覺不到他拿針筒往我前臂扎的力道。

我只能說這是意料之外的好運和分秒不差的時機，我在失去意識前朝他的西裝翻領嘔吐。

第二十三章

我是輪床上的一具死屍。

我在宛如迷宮的走廊間穿梭，血管溫熱，視線模糊。

我驟然察覺外界的聲音有多大。侍從在講話，不，是咆哮。其中一個在我頭頂舉了一袋液體。我依稀感覺他們這樣小題大作都是為了我，但我只是個無名小卒，又不能言語。要不是看見罩在我嘴上的那個塑膠圓蓋，我還以為自己斷氣了。我不知自己身在何方。除了侍從穿的制服之外，其他沒一樣是我熟悉的。

但眼熟的東西在下一瞬間晃過。

她那瞬眼即逝的紅髮，一個拳頭摀住張大的嘴，我的名字在她唇間湧現，她的寶寶在懷裡哭，奔跑的腳步。「等等！」她吶喊道，他們偏偏不聽，她便被我們之間拉開的距離吞沒。

我闔上眼。終止存在感。

彷彿多年過後，直到我聽見人聲，我才驀然發現自己再度從黑暗中浮出。

「早警告過妳，教妳不准逃跑。」沃恩說。他在我夢裡化身為一隻黑鳥，他的利爪劃破肌膚，鮮血從我的胳臂湧出。我靜靜躺著，這樣他就會以為我死了。在死屍的腐肉裡沒啥好消遣作樂的，我的挫敗已經讓他夠樂的了，我不會讓他更加稱心如意。

「嫁給我兒子，妳擁有愛，擁有安全感。但妳就是下定決心了，對吧？」

他的氣息是一陣熱風。

「下定決心要走，我也成全妳了。」他嘆息道。「其實妳算是幫了我一個忙，林登已經舉發妳了。」

我漸漸恢復意識，卻不肯讓意識完全攻占。就在快要失去知覺之際，我聽見沃恩說：「現在妳是我的了。」

現在妳是我的了。

無論夢境把我埋得多深，那些話總是如影隨形。刻在路標上；從姨娘疲憊的姑娘嘴裡唱出；是十月秋葉的窸窣呢喃；從百合花倏然展開海星花瓣中綻放。

我睜開眼，有時與未曾謀面的侍從四目相交，他們會迴避我的目光，拿海綿幫我擦身子，把點滴的針插進或拔出我的前臂，幫我換便盆，在寫字板上做筆記，然後不發一語就走。我等沃恩來找我，但他只肯造訪我的夢魘。我夢見他手拿解剖刀或針筒站在門檻邊，嚇得我一身冷汗地醒來。這樣的日子像是過了一輩子，時間無法衡量；牆上有扇假窗，房裡除了醫療儀器就只剩它。它總是散發人造陽光，照亮一片假百合花田。

侍從走了，將房門輕輕帶上，於是又只剩我一人。沒有珍娜幫我想逃亡計畫；沒有蓋布利歐溜進來陪我聊天；沒有狄德麗幫我放甘菊香的洗澡水。也沒有林登為我畫抑鬱但雅緻的圖；或者上我的床，摟著我直到我入睡。

我的生命隨著針筒和孤寂一點一滴地流逝，這種日子簡直生不如死。世上最悽慘的大概莫過於孤寂。侍從們說什麼都不願跟我講話，就算我意識清醒、看著他們工作，哪怕這種情況千載難逢，他們仍三緘其口。偶爾我時睡時醒，夢見侍從帶六月豆（什麼顏色都有，就是沒藍的），或我跟林登在晚宴上喝的那種香檳給我。但我從沒夢過什麼要緊的人，或許我的心就是這樣，要我放下我所愛的每一個人。

我開始妒忌那些採花賊賣不出去所以乾脆做掉的女孩。這樣一來羅恩也比較容易找到我，為我的死哀悼，真相水落石出，得以繼續生活。但我再也不會想起他，就連最陰鬱的夢，我也不准他現身了。一併被放逐的還有蓋布利歐和陽光，甚至是瑪蒂也不例外。

直到有次我睜開眼，看見一個小女孩站在我房間的門邊。她跟我一樣，穿著單薄的病人袍。她的雙眸像是珍娜死後那樣。凹陷慘灰。她的臉上找不到一點青春的跡象。皮膚蠟黃，胳臂滿是注射後的瘀青。她身體左搖右晃的，看樣子像快要跌倒了。我想把她當作這個夢魘之地的一場惡夢，或是幽魂。但我眨了好幾下眼，她還是沒有消失。

「狄德麗？」我輕聲呼喚。這是我千年來說的第一句話。「該不會妳也遭殃了吧。」

「妳的病房好亮哦，他把其他病房都弄得很暗。」我可以聽見我那忠心耿耿的小貼身佣人疲憊地說。

我想掙脫身上的約束衣。我也不曉得這麼做是為了什麼，就算我下得了床，又能怎麼救她？她打著赤腳曳步走向擱在一部儀器上的一壺水。她倒了杯水，拿到我面前，把我的頭往上仰，將水倒進我口中。我喝得貪婪，但這也是意料中的事；侍從們給我水喝，但一次只餵一茶匙，脫水想必是實驗的一部分。

「妳的嘴唇都裂了，但願我有東西能幫妳護唇。」她皺起眉頭。

「妳怎麼了？他對妳做了什麼？」我說。

她只是搖搖頭，輕撫我的臉頰。至少她的小手是那麼柔軟熟悉。我情不自禁地在其中尋求慰藉，同時也為此痛恨自己。她遭遇了什麼慘事，這都是我的錯，都怪我拋下了她。我早該料到沃恩的恐怖計畫不會放過她。

「我很抱歉。」我輕聲說。

「噓。我聽見他要來了。假裝妳待在什麼美好的地方，趕緊睡吧。」

走廊上傳來腳步聲；她一臉愁雲慘霧。「噓。」她手往我眼皮一抹，使我閉眼，然後匆匆離去。輕輕跑開。她沒爆成一灘血或化為輕煙。我確定她是真人，也聽見走廊彼端的關門聲。

她要我假裝待在什麼美好的地方。

我夢見我穿著她為我織的毛線衣。她在遠處雙手捧著海星，如相機鏡頭快門咔嚓響般地移動。海水舔食我跟她的腳，想把我們淹死。

狄德麗又再來看我了。我不確定隔了多久。幾分鐘？還是幾週？我感覺她正鬆開我的約束衣。「這是有技巧的。」她發現我醒了而且盯著她瞧，便跟我說話。「妳可以把扣帶往後扳一節，它表面上看起來還是很緊，但這樣妳的手腳已經有辦法穿過來了。侍從們輪班探視，所以我們知道什麼時候要回床上。不過妳的時間表不固定，很難猜他們何時會來看妳。」

「這是哪裡？」我嗓音粗啞地說。我喉嚨痛，也依稀記得有人往咽喉裡插管。

狄德麗皺眉蹙額。她柔軟的秀髮變得蓬亂糾結，整潔的髮辮已不復見。身上還有許多瘀傷。

「這裡是地下室，戶長一個月前帶妳下來的，那時妳病得好重。」她淚水盈眶，輕輕從約束衣掏出我的手，好讓我坐直身子。但我臥床已久，突然坐直害得我腦充血，眼前浮現更多光點。我揉揉額頭，眨了好幾次眼，光點才消失。

狄德麗，他對妳做了什麼？我暗忖道。她頂多九歲、十歲，如今卻像身體狀況最差的第一代，形容枯槁，皮膚泛黃，手肘和指尖乾癟、臉上的骨頭凸出，輪廓太過分明。

但我沒馬上發問。無論是什麼可怕的命運在她身上降臨，全都得怪我。我逃走就等於剝奪了她在官邸唯一的功用。沃恩也能騙他兒子，說既然我不在了，狄德麗大可另謀高就。林登根本不會有所質疑，他相信他的父親。

但問題幾乎違背我的意願，脫口而出。「他對妳做了什麼？」

她搖搖頭。「應該是早期的診療吧。他馬上要嘗試人工授精，據我所知，戶長認為他已找到方法加速受精與懷孕，所以女孩不到正常青春期就能生小孩了。」她羞怯地說。

這些話從她溫和的嗓音中吐露，聽起來不真實到我相信這只是一場夢。但是過了幾秒鐘也沒發生什麼怪事，天花板沒有塌陷，地板也沒試圖將我吞沒。

「實驗還沒成功。」她依舊迴避我的目光說。她的一舉一動突然變回貼身佣人，為我將腰際的毯子塞緊，揉我的手腕，恢復血液循環。「莉迪雅在這裡待得比我久多了。有次差點就要懷成孩子，可是……」她話語愈說愈小聲。

莉迪雅。這名字怎麼這麼耳熟？儘管我依舊迷失在九里霧中，還懷疑這是一場夢，竟也真的想起來了。莉迪雅是蘿絲的貼身佣人；自從蘿絲因為剛出生的女兒夭折而精神崩潰，再也無法直視照料她起居的年輕女孩，莉迪雅就被送走了。

「狄德麗。」我把手伸向她，將她摟進懷裡安慰她。但我安慰不了她，差那麼一點就能搆著她了。

「我好像聽到電梯響了。」她邊說邊盯著自己絞擰的雙手。「我一有辦法就趕回來。」

她趕忙幫我套回約束衣，然後輕巧地奔離房間。

侍從來的時候，我假裝失去意識，可是心兒撲通直跳。其中一個幫我量血壓，我感覺帶子勒緊胳臂，然後抽口氣似地鬆開。血壓太高。這可引來莫大的關注。他們開始嘀咕著什麼副作用和心悸。

夢魘在我的四面八方悸動。手推車的尖嘯，他們用來監測、刺激，或為我注射的工具咯咯作響。我感覺前臂上有什麼玩意兒，還等著被針扎，但只感到一陣微弱的壓力，聽見一連串機械的嗶嗶響。

冰冷乾枯的手解開我睡衣最上頭的扣子；什麼涼涼的東西塗在我胸前——大概是什麼凝膠吧。有東西在我的胸骨上移動，我知道那是機器，不是人手，他們在做某種測試。我感覺自己不像個人，只是實驗，是屍首。

*沒事了。我再也不會讓任何人那樣碰妳。*但是沒有人來救我。

最後侍從們為我清潔，草草做筆記，然後離開。我聽見他們其中一人從非常遙遠的彼端說：「你們覺得他用完她之後會拿她眼睛做什麼？」

此後就有新的東西在我血管漫遊，真正的夢魘也由此而生。湊到我面前的臉孔突變腐爛；幽魂在走廊上來來去去，低喚我的名字；浪潮般的鮮血濺在瓷磚上；林登站在我的門口。他哀傷的綠眼緊盯我不放。

「我以為你不再愛我了。」我輕聲說道，而他化為灰燼。

因為沒有時鐘，全像投影的窗子又總是照射同樣程度的虛假陽光，所以我無從分辨白天黑夜。我猜狄德麗是早上來看我的，因為她老是蓬頭垢面，像是剛睡醒一樣。我的手臂插了太多管線，就算她鬆開我的約束衣也沒有分別，因為我幾乎無法動彈。她對我呢喃美好的事物，描述她父親的畫，高聲讚美我深淺不一的金髮。

我幾乎沒有一次能清醒地回應。她大概也習慣了，因為她溫馨的故事最後轉為黑暗。

「之前沒能來看妳，對不起。」她輕聲道歉。「我又流產了。」

我連睜眼的力氣都使不上來，但她如果知道我聽得見，或許就不會跟我說這些了。

「莉迪雅今天早上死了，我眼睜睜地看她流血過多而死。他們把她送走時，戶長也在場。」她嗓音發啞。我感覺她輕輕與我十指交扣。

「但她知道一些祕密。」狄德麗說，眼淚快要奪眶而出，她的嗓音也變得低沉。「蘿絲的寶寶？我跟妳說過啦，在戶長宣布她胎死腹中前，我聽到她的哭聲。莉迪雅跟我說她看到了，看到寶寶了，而且寶寶不太正常。耳朵皺縮，臉也……有點怪怪的，是個畸形兒。」

我的心臟又開始用它無助且無濟於事的方式撲通直跳。它似乎是我身上唯一還有動靜的東西。

蘿絲，林登的大老婆，也或許是他唯一真正愛過的妻子，在一個禽獸的擺布下被迫生產。她知道他有多大能耐。也警告我不要跟他唱反調，只是我不聽勸。

狄德麗繼續往下講，但我的意識撐不了多久，無法聽完她口中其他駭人聽聞的消息。

第二十四章

夢境猶如潮水擊中礁岩般破碎。

我睜開眼的第一個念頭是：我的姊妹妻長高了，也變美了。假窗的一道光擁抱她的臉頰，然後在她轉身的時候投射她的肩膀，她的紅髮一度像是著火似的。

她還不知道我在關注她。她毫不做作地移動身軀，輕輕哼歌，邊跳舞邊拿起一壺水，將水倒進紙杯。她隨意盤髮，幾綹髮絲垂到頸部，她的脖子也變得比以往更纖長優雅。我憶起髮型好似蜂窩、禮服裝了翅膀的新娘蹦蹦跳跳地迎向婚禮。我離開官邸時，那個為分娩和哀痛憔悴的小女孩已然長大，但我離開的這段期間，她成長更多。從她身上依稀能瞧見沙漏形狀的身材。

我無視於那些繞著她打轉的黑胖蜜蜂，最後牠們終於消失了。即使我提醒自己這不是真的，她依舊留下來了。看見她我好生感激。她的身影如此溫柔、熟悉，我百分之百肯定自己在做夢，但我巴不得繼續做這場夢。說不定接下來的四……不，是三年，我都能住在美夢裡。沃恩把我的身體變成他的遊樂場，我哥也仍在世上徒勞無功地漂泊，但此時我能在這安全的幻境暫居。說不定我還能夢見一些還沒被瞎搞過的六月豆。

「醒了嗎？」背對著我的西西莉問道。她猛一轉身，拿給我用紙杯盛的水。「底下的空氣好乾燥。我猜妳應該會口渴。」

這不是夢。她真的來了。我移動胳臂和腿，測試自己的活動力，發現管線仍把它們綁得沉甸甸的。西西莉把手搭在我手上說：「不不不，別動。妳會弄傷自己的。喏。」她把紙杯舉到我唇邊，看我喝水時既沒微笑也沒癟嘴。她一臉有話要說的樣子，但過了好久一個字也沒吐露。

天花板瓷磚散發柔和的光，使得所有的稜角宛若珍娜愛看的肥皂劇的鏡頭，讓畫面變得矇朧而柔和。

「我躲在走廊，聽見他們交談。他們說妳的心跳數都要破表了，還以為妳要心臟病發呢。」西西莉說話的語氣淨是不捨。除此之外，還有別的。是痛悔？還是羞愧？她不太肯直視我的目光。我看起來一定糟透了，因為她用食指沿著我臉龐的曲線輕拂，強忍啜泣。

無論如何，西西莉永遠都是我的姊妹妻。任何事都抹滅不了我們共患難的過往。我們永遠都分割不了。一看見她的淚水，我的眼淚馬上奪眶而出。我別過頭，凝視牆壁，試圖用意志力趁淚珠滾落臉頰前將它們逼退。

「哦，萊茵，妳難道不知道回來會有什麼下場嗎？這下妳永遠都出不去了，永遠。」西西莉說。

我闔上眼。胸脯隨著一聲啜泣而顫抖。我再也見不到哥哥和蓋布利歐了。照這個情勢走下去，我會永不見天日。機會有過，我卻錯過。

她屈身向前吻我額頭，我唯一的印象是她聞起來像珍娜。也就是揉和可愛香氛和淡彩乳液的女人香。

「我得先走了，免得被沃恩戶長發現我下來這裡。」西西莉說。「有個侍從被我逮到在書房偷打盹，在我的恐嚇之下，他答應讓我用他的鑰匙卡。我只是……」她吸了一下鼻涕。

「非來不可。打死我都不信我還會再見到妳。」

我沒吭聲也沒睜開眼。只要我一動也不動，眼淚就不會掉下來。

她沒馬上離開。只是輕拂我的頭髮，嗚咽著道歉，嘴裡嘀咕著好久以前發生的、現在根本無關緊要，或根本不該怪她的事。

儘管我盡最大的努力保持清醒，卻還是跌進輪番上陣的惡夢：面孔畸形、靜止不動的嬰孩，迴盪寶寶哭聲的走廊，可怕到無法形容的屋子被吸進黑色的墨汁，在我面前的全像投影中旋呀繞地，而林登也自豪地眉開眼笑。

我終於設法高聲問話：「林登是不是真的舉發我？」

但那時西西莉老早就走了。

壓低音量的憤怒嗓門。嬰兒的輕聲嗚咽……

「可是這樣會把她害死的。」西西莉說。

「我們知道自己在幹麼。」某人答道。不是沃恩，或許是侍從吧。

「讓我見她。不讓我見她的話，我就要叫嘍。」西西莉雖是懇求的語氣，但仍顯得凌厲。

「妳愛怎麼叫就怎麼叫，反正受傷的也只是自己。」那個人說。

她還是叫了，在我的夢魘中一而再、再而三地尖叫。我跟著她穿過莫測的幽深，深入長長的走廊，跨過碎屑、骨骸和打著哆嗦的軀體。她的紅髮好似豔陽；她的腳步宛若擊出不成調的樂曲的琴鍵。後來，就在我確定搆著她的時候，她消失無蹤。

我呼喚她，但恢復意識的我發出的聲音只剩呻吟。在我髮間遊移的手指好似蜘蛛亂爬。

「我在這裡。」她答道。「但我不能待太久。聽我說，有沒有在聽我說？」

朦朧的房間開始對摺。兩個西西莉合為一個實體的女孩。我動動嘴唇，發現自己能發聲了。「有。」

「我會想辦法把妳弄出去的，相信我。」她對我說。

信任。這個概念在我意識混沌的狀態下太令人費解。她眼眶泛淚，穿著綠色的比基尼上衣，一頭濕髮往我胳臂上滴水。我有好幾個點滴注射器被拔了，是不是西西莉為了叫醒我拔的？一定是的，因為我身子的麻痺正轉為疼痛。儘管如此，我仍堅持保持清醒。

我努力在她臉上聚焦，但她的雙眸跟刺傷的傷口一樣黝黑。房間在她的背後扭曲、模糊。「我在做惡夢。」我說。

「不，妳醒了。」她說。

「證明給我看。」我說。我被她嘲弄太多次了，醒來發現只有自己一人。

「我懷孕的時候身體不適，妳會說故事給我聽，雙胞胎的故事。他們雖然沒有打擊犯罪或拯救地球什麼的，但他們擁有彼此，直到有天兩人分離。」她說。

「那些不是杜撰的故事，講的是我跟我哥。」我說。

「現在我知道了，其實我心裡一直有底。只是當時太自私了，希望妳留下來陪我。妳、我、珍娜和林登。」她拂去我額頭的髮絲。她聞起來像是泳池的消毒水和防曬乳液，回憶又浮現心頭，那些全像投影的鮮豔古比魚從我身上穿行悠游而過。

「反正林登不想要我了，他跟他爸說的。」我說。

西西莉雙眸閃過一道光，像是心痛，或許又是驚愕，她不敢相信林登竟會如此無情。

「沃恩不准妳來，妳還是來了，對不對？」我說。

西西莉氣得毛髮倒豎。「這個嘛，我來見妳的事他當然不知情。他覺得見面只會讓我心情不好。妳也知道，他很護我的。他覺得我們最好還是把妳忘了，然後……」她話愈說愈小聲，故意忙著把我的病人袍拉直。

「我得走了，林登以為我在游泳呢。」她說。她親吻我的額頭，展現胸懷大志的慈母形象，把點滴注射器全插回正確的位置。

我目送她濕答答地從我身邊退離，一條浴巾繫在她的纖腰上。「我們打算再生一個寶寶。」她說，但臉上的笑容顯得太過牽強。「林登說生女兒的話，可以取名為珍娜。」她掉頭離開。

「等等。」我想喊出口，但鎮靜劑重新注入我的體內，我的嗓音也化為烏有。

我活在一種不存在的狀態，每次只清醒一下子，這樣的情況像是過了好幾天。只要是清醒的片刻，就有同樣的思緒迎接我。

林登真的把我交給他父親了。

沃恩的魔爪還是沒放過我的姊妹妻，她要再幫他生個孫子給他做實驗。

這回我沒辦法保護她了。

蘿絲的寶寶是畸形兒，沃恩索性不讓她活下來，林登永遠也不會知道實情。

我哥永遠都不會知道我所經歷的遭遇。

蓋布利歐在遙不可及的某處醒來，發現我不見了。他也同樣永遠都不知道我怎麼了。

只要沃恩一天不死，我就會一直在這間地下室裡存在，以肢體、片段，和基因的形式存在。

我開始能昏睡就昏睡。問題的癥結在於無論意志力有多強大，也改變不了現況。我無法控制何時醒來，醒來時迎接我的是什麼也無從挑剔。

我看見狄德麗站在離我床幾呎遠的地方，她彎下腰，作嘔聲持續了令人揪心的幾秒鐘，接著吐出古怪惡臭的綠色膽汁。她的病人袍從一邊肩膀滑落，我可以看見她一節節的脊椎。她雙拳緊握，指關節也握得發白。吐完之後，她靜了許久，只是深呼吸。

她凝望著我，雙眸只剩瞳孔，對我說：「他打算在妳身上做更恐怖的事。妳根本不該回來的。」

「狄德麗。」我嗓音溢滿嚮往地說。我真想把她摟進懷裡，不讓她受任何危險。我那乖巧忠心的貼身佣人付出所有，只為把我照顧得無微不至；以前的她怎麼也想不到現在竟有這麼可怕的事發生在我倆身上，而我正是罪魁禍首。

我想掙脫約束衣，而她拿了條毛巾往嘔吐物上蓋，然後將它扔進侍從丟針筒的生化危害物容器中。她手往病人袍下襬抹，看起來這麼無助，但是一滴眼淚也不會掉，因為她內心還殘留一點鬥志。這我記得。她雖然是個弱不禁風的小傢伙，適應力卻總是很強。「想像妳待在什麼美好的地方會比較好受。」她蠟黃的臉被人造陽光照亮，光線下全像投影的百合花環狀擺動。花兒搖曳的樣子我都記得：往左、往左、往左、晃一下、然後往右。

想像妳待在什麼美好的地方。夜幕低垂下克萊兒的家，在每間房呼吸的小小肺臟。我頭躺在蓋布利歐的大腿上，他說他絕對不會讓任何人傷害我。我知道這種事不在任何人的掌控中，就連他也控制不了，但我只是閉上眼，假裝相信他的承諾。

我將這個念頭驅逐腦海。我才不要想像什麼美好的地方。這只會讓「睜眼想起自己在這個鬼地方」這件事變得難上加難。

「我該帶妳一塊兒走的，把妳藏在他找不到的地方。」我說。

「他找到妳的時候，自然會找到我。」狄德麗說。她走到我床畔，摸我大腿，我縮了一下。當林登的新娘，我已習慣狄德麗跟侍從們的體貼寵愛，習慣有人幫我編髮辮、化妝，太緊繃的時候又有人幫我深層肌肉按摩。但幾輪的針頭伺候已翻轉一切，一見我退縮，我昔日的貼身佣人便帶著歉意皺眉，然後把我的病人袍往上拉到腰際。她低語道：「喏，妳或許看不見，但他是把它嵌在那裡。」她指的是我大腿豐滿的部位，除了慘白的皮膚和血管，其餘我啥都沒看見。

「要我看什麼？」我問道。

狄德麗說：「舉行婚禮之前，有個醫生為妳做體檢，其中包括妳能不能生。他也在妳體內植入追蹤器，這樣戶長就能隨時掌握妳的行蹤。」我耳裡的脈搏聲蓋過她氣若游絲的嗓音。「妳跟妳的姊妹妻是他的財產，妳們將永遠屬於他。」

說老實話，這我怎麼也沒料到。住在官邸時，沃恩欺哄西西莉，要她監視我。我預期屋裡充斥著監控攝影機、錄影器材、可能聽命於他來監視我的侍從。但是我以為只要逃到真實世界，我的世界，一切就安全了。

然後我不由自主地笑了，這不曉得是多久以來我第一次笑。不用想也知道沃恩在追蹤我。我怎會那麼天真，以為可以擺脫他？我的笑聲殘破，虛弱，或許還有點歇斯底里，因為狄德麗一臉憂心忡忡。她伸手摀我的口並示意我小聲一點。「請小聲點，他們會聽到的。」她輕聲說。

「我不在乎。」我在她的掌心咕噥著，但是為了她，我壓低音量說：「他們還能對我怎樣？或對妳，對地下室的其他人怎樣？」

狄德麗撫平我臉上的髮絲，眼神寫滿哀求。「妳不該問這種問題的。」她說。

我倆都很清楚她來見我有多危險，但她還是常來。她從插入我胳臂的針頭拔掉一管點滴，她一定知道它的作用，因為我漸漸清醒過來。

一直以來我都知道狄德麗勇氣過人。她個頭雖小，但是殘暴當前，她仍能保持鋼鐵般的決心，還是盡力照顧我。或許這能帶給她慰藉吧，宛如不知道自己已經死了的亡魂，依舊不斷重複著最後一個動作。

這是她今天頭一回允許自己接受我的關愛。我的手腕掙脫約束衣，讓她爬上我身邊的床墊。我把那些曾經告訴西西莉的，有關雙胞胎和風箏的故事說給她聽。實驗室爆炸的部分我省略沒講，反而編些搭乘渡輪和自由島水域下美人魚悠游的新故事。

電梯門響，把她嚇了一跳。她一個動作跳下床、插回點滴，我也同時把手腕塞回約束衣。

「我馬上回來。」她輕聲說了句便快步離開。

我閉上眼，假裝不省人事，等著鎮靜劑將我吞噬，但它沒產生作用。我聽到房裡有腳步聲，感覺有東西從我前臂拔出。

「我知道妳沒有昏睡，這樣才好。這次妳必須是清醒的。」沃恩說。

他扒開我的眼皮，拿手電筒照我。「妳的瞳孔沒有我預期那樣擴大。不曉得為什麼，但我就是知道妳會亂調劑量。」他笑了幾聲。「妳總是那麼難搞，對吧？」

我緊閉雙眼。但願他只是場夢魘。但我還是能聽見他在我身旁瞎轉，為我準備下個煉獄般的藥劑。

「昏迷的妳討喜多了，這樣比較容易追蹤。可是現在我要妳進入比較正常的睡眠狀態。妳可能會做一些很逼真的夢。不過沒什麼好擔心的。」他說。

他在離開前輕彈我的鼻子。這種居高臨下的鍾愛表現他通常只留給西西莉。

「親愛的，我等等就回來看妳。」他說。

我並沒有如沃恩所預言的做什麼逼真的夢，只是徹底喪失分辨夢境與現實的能力。有時候我很肯定自己是醒著的，可是這些無菌的牆壁竟開始變黑，彷彿有支隱形的刷子在刷牆。我開始感覺大腿在抽痛，就是狄德麗說植入追蹤器的那個部位。我聽見有人對我竊竊私語。

看見爸爸臉色蒼白、了無生氣地站在門口凝望我。他什麼話也沒說，最後默默離開。羅恩有時會來為我鬆綁約束衣。他總是來去匆匆，老是想把我推下床。可是我的動作不夠快，總是沒辦法趕在他消失前追上腳步。

有個男人在全像投影的窗裡出沒。他裹著黑衣，在百合花間悄然逼近，我知道他是衝著我來的。

聲音變得雙倍響亮。輪床在走廊上滾的聲音好似在我的頭蓋骨裡移動。侍從們的輕聲細語鎖在我的腦裡，活像飛蛾敲擊我的腦袋。

官邸裡的每個腳步、每塊吱嘎作響的木頭地板、廚房裡的每個顫音笑語、林登造訪姊妹妻時，她臥房裡傳來的每聲呢喃嘆息，都傳進我耳裡。我怎麼也躲不了這些放大的喧囂，也沒辦法摀住耳朵。就算外界一片寂靜，我自己的心跳聲也宛若槍響。

沃恩常來。起初幾次我只管閉眼，儘管心兒撲通直跳，我還是努力躺著不動。可是後來他有次亂拉我的點滴袋，跟我說：「橙花今天看起來特別漂亮。」

我睜開眼，只見白色的花瓣落在他肩頭；他一動，朵朵花瓣便跟著散落，但還沒落地就全都化散。他的雙眸今天好綠，這應該是林登的眼睛吧，怎麼會爬到他父親的臉上？

沃恩對我綻放的笑容完全沒有他兒子的和藹可親。「妳臉脹得好紅，別擔心。發燒是正常的。」他說。

我望著一株橙樹在他背後發芽抽條，一群歐掠鳥匆匆飛過天花板。我說：「無論我走到天涯海角，你都會找到我，是吧？」

「這不重要，反正妳哪裡也去不了。」他邊說邊輕彈針筒。

我盯著天花板瓷磚，知道他說的是事實。西西莉答應要助我逃跑，但這件事如同每一件事，都不在她的掌控中。我想這樣最好。跑到地下室只會使她陷入危險。還是在樓上生活比較理想。她總是想要掌控遠超過她能力所及的事；但我有什麼資格說她的不是？我還不是一樣。珍娜的擔憂不是沒有道理。或許新娘當中唯一知道自己在應付什麼的就只有她；她優雅沉著地接受命運的擺布。

我可以聽見空氣在通風孔的呼嘯聲；地下室八成有中央空調。有時候我覺得自己聽見蘿絲在天花板裡面的排風管道中爬，可是沒有一條管線能帶她逃出去。她也永生不得自由。

「有沒有發現什麼不尋常的現象？胸疼？頭痛？胃灼熱？」沃恩問我。

「只有橙花吧。」我說，彷彿他會知道我看得見橙花。我轉頭朝落在我肩頭的幾朵花吹口氣。

他調整一袋液體，找到一根血管，我眼睜睜地看他從我的手臂抽血。「蘿絲說你挑中我是為了我的眼睛。」我說。

「蘿絲這個丫頭並不傻。」沃恩說。「那天我確實這麼提議，但我兒子是出於自己的意願選妳的。倘若是被迫選妳，事情就會單純的多。」

「因為我早就死了。」我說。

他從我的手臂抽出針頭，拿酒精輕沾傷口。「親愛的，沒這回事。妳會幫我更快發現解藥。妳對異色症的了解多嗎？不妨把妳的基因想成馬賽克，所有相異的片塊看似無法相融，但退一步看妳會發現這些亂七八糟的片塊竟能組成協調的一幅圖畫。只是需要更有創意的方法組合。」

他快把我搞糊塗了。不過最近我連一些簡單的原理都難以理解。「依我看，妳得的是遺傳嵌合，妳有兩種不同的細胞群，但普通人只有一種。所以妳一隻眼睛是藍的，另一隻是褐的。」

他湊上前，拂去我臉龐的髮絲，彷彿我是個聽不懂他床邊故事的小孩。

如果羅恩在這裡，他就會明白。也許他自己早就搞懂了。但這也無所謂了。反正我再也見不著他了。也永遠不會向沃恩提起我哥的事；沃恩對我這麼著迷，假若知道我是雙胞胎，肯定會樂昏。

沃恩繼續說：「我怎麼也沒料到我兒子會這麼愛妳，只知道說什麼都無法把妳從他身邊帶走。」

「他已經不愛我了。」我說。

「他百分之百愛妳，單戀是很極端的。他對妳的愛深到由愛生恨。」沃恩說。

恨。我試著在林登繃著的臉想像恨意，但就是無法將兩者連結。或許想像不到最好。

「睡得好嗎？」沃恩問我。

我笑了，笑聲炸出回音。他會關心我，這實在荒謬。

他走了以後，我聽見天花板裡的蘿絲開始放聲尖叫。

第二十五章

在我的夢中，高爾夫球場的風車在打轉，螺栓在颶風的吹襲下鬆脫。蓋布利歐叫我回屋內。

「萊茵？」

風車仍在吱咯作響。「西西莉？」我吐出的話連氣音都不如。「回屋裡去。」她的紅髮吹過頭頂；她向我伸手，可是我離她太遠，只見她的嘴唇在蠕動。

「醒一醒。」她說。

我睜開眼，她湊到我面前，脹紅了臉，上氣不接下氣，她頭頂上方的光束正在急馳。不過，這不是颶風來襲，過了一會兒我才發現，自己像蘿絲的屍體般躺在輪床上，被人在地下室推著跑。西西莉踱步跟上，她周圍淨是穿著白衣的侍從，其中一個吼著叫她讓開，但她反而跳上輪床，坐在我身旁。

「怎麼回事？」我問道。我內心深處隱約感到恐慌，只是身體沒有反應。即使西西莉抓我的手，我也沒什麼感覺。

「小朋友，假如戶長看見妳進地下室，他會要妳的項上人頭。」其中一名侍從對她說。她聽了面露不悅。「我不是小朋友。還有我公公也不會要我的人頭，因為他不會發現的。」她嬌縱地說。

「是誰一直放她下來的？」侍從問道。

「沒辦法好好教林登總督的新娘怎麼安分守己。」另一名侍從說。

西西莉沾沾自喜地對我眨眼。「沃恩戶長不在家。」她悄悄對我說。我只能勉強在咯吱滑動的輪轡中聽她說話。「他在西雅圖演講抗體專題。」

輪床停止移動。「放手。」有人一聲令下，西西莉放開我的手。我的胳臂落在側身，板子一般沉重無用。他們將我從輪床搬到可以調整角度撐起身體的一張床，點滴勾進我的胳臂，我等待逐漸失去意識的那股熟悉感，但我沒有昏睡。我的眼皮被人用膠帶黏著，只能開不能閉，就算我想眨眼也動不了。在麻痺將我吞沒前，我只能蠕動嘴唇，最後一次呼喚姊妹妻的名字，而她出現了。

西西莉爬上床，緩緩挪到我背後，雙膝在我的身體兩側，我背抵著她的肚子。她把下巴靠在我肩上，我突然感覺到她溫熱的臉頰，想像當她眼淚快決堤時臉色會轉紅。過了好一會兒，我才明白她不斷低聲複述的詞是：「要勇敢。」

只剩一個侍從扳弄某個我很難看見的儀器，其餘全走光了。一切開始變得模糊。有個人聲透過擴音器惱怒堅定地傳話。「西西莉小姐，請妳下床。」

「你去死啦。」她說。

這時傳來颼颼聲。我在一片朦朧中看見侍從正在校準一具自天花板降下的機械手臂，跟我腿同長的什麼針頭從裡面伸出來。

「萊茵，還記得妳跟我說的那些風箏的故事吧？」西西莉對著我耳畔低語。

擴音器裡的人聲開始咿呀咿呀地對操控針頭的侍從發號施令。校準，溶液高度，什麼錄影和監視器。

「是這樣的，我試著用紙做風箏，但是飛不起來。所以我在想，我可能會叫林登訂一些塑膠膜片。這樣風吹不透，風箏或許就能飛起來了。」

她撫弄我的頭髮，天花板裡的人聲說：「不要讓受試者的頭亂動。」於是她聽話照辦，將我的太陽穴固定在她掌心。侍從湊上前，取頭盔之類的裝備，以免我的頭亂動。不過其實我本來就動不了。他幫我將頭盔戴牢，拉條帶子鎖緊我的下巴。「把她往後移四分之三吋。」人聲說。侍從唯命是從。

「會痛嗎？」西西莉問道。我想說我身體完全沒有知覺，偏偏舌頭動不了，話也說不出。侍從沒答腔。

「西西莉小姐，如果她在手術中亂動，可能會導致失明。妳希望發生這種事嗎？」

這回她乖乖聽話爬下床。「我在這裡陪妳。」她說；同時侍從也依照天花板裡的人聲指示調整我的位置。

我想答話，但開不了口。我想眨眼，眼睛也不聽使喚。

或許失去知覺也是一種恩惠。我幾乎要說服自己這項實驗不會比其他項糟了。直到侍從操控針頭，逼近我的眼睛，我才明白將要發生什麼事。

無論他們用來麻痺我身體的是什麼，都再也無法使我的心臟保持平靜。心跳聲在我耳裡怦怦響。我難以呼吸。西西莉情急之下趕緊轉移話題，淨講些風箏尾巴和春日微風。

我想放聲尖叫。我這輩子從沒這麼渴望尖叫過。我像是在小小鳥籠裡拚命舞動千萬對翅膀，可是發出的聲音連啜泣都不如。縱使思緒仍舊非常清醒，我的肉體卻像是離了萬哩遠，毫無用武之處。

針頭插進我的瞳孔。我好像聽到了接觸的聲響。數數兒吧。以前我肩膀脫臼，哥哥準備將關節移回原位時，會要我數秒數。數數兒就不會那麼難受了。於是我這麼做。

我數到四十五秒，針頭才從我的眼睛移開。

但還沒過五秒，另一根針頭又來了。

手術完成後，頭盔摘除了，膠帶也從我眼瞼撕下，我的腦袋了無生氣地垂在西西莉等待的手掌中。點滴從我胳臂拔掉，我被抬到輪床推進走廊時，她還是喋喋不休，向我說明風箏要怎樣才飛得起來。

「後來我終於搞懂了。」她說，她又往輪床邊上坐。我的視線變得清晰，她的五官也漸漸具體。「是動力。」

「什麼？」我輕聲問她。感知正重返我的嘴唇，向指尖和腳趾頭蔓延。「妳想要東西飛起來，就不能杵在原地。妳得用跑的。」

沃恩回來了，聞起來像春天清新的空氣和禮車的皮革內裡——彷彿他只去過那些地方。看得出來他一從西雅圖回來，還沒換裝就先來探視我。

「他們說妳做視網膜檢測手術時一聲都沒吭。」他一邊說，一邊把我當作什麼寵物似地輕撫我的臉頰。他手冰冰的。我沒告訴他要是手術中我出得了聲，肯定會發聲尖叫。

數數兒。他花了四秒鐘摸到我的下巴並縮回手指。

「我跟他們說妳當然不會叫嘍，妳一向都是優雅的化身。」有根點滴從我胳臂拔掉，隨著床畔的一袋液體擺盪。

沃恩整理注射針和工具，我則盯著天花板的瓷磚。今天瓷磚比以往幾天清晰得多。上面的刺孔宛若針眼，我看得一清二楚。沒東西在天花板裡面爬，只是排氣管道突然啪地響了一聲，把我嚇得往回縮。

他複述道。「優雅。優雅和風度。妳很堅忍不拔，有沒有人這麼說過？」

「這我從沒聽過。」我說。哥哥總是說我太軟弱。

「這個嘛，之後的手術不會像這次這麼恐怖了。」沃恩向我保證。「手術的目的是記錄每隻眼睛的內部活動，像是觀測器。應該只要看錄影就夠了。」

光是回想這段往事我就冒雞皮疙瘩，我抵著約束衣的手握緊拳頭。

「覺得怎麼樣？既然妳配合度這麼高，也許下星期開始我們可以嘗試固體食物。」沃恩問我。

我想起克萊兒滴著奶油和糖漿的煎餅。可惜當時太沮喪，美食嚐在嘴裡只像漿糊。那真是沮喪嗎？還是發病初期的症狀？倘若能再次坐在克萊兒的餐桌前吃早餐，我一定會好好享受每餐珍貴的最後一口；在曼哈頓散步更久；親吻蓋布利歐，直到我喪失意識。我怎能揮霍那般的自由？我在那段期間感受的病痛和無精打采，全都是沃恩一手操控的，但我卻渾然不知。

「不好嗎？」見我沒答話，沃恩這麼說。「那就之後再說了。」他把我的胳臂向外拉，指頭往我手腕上按，不發一語，隨著我脈搏跳動的頻率微微點頭。

「今天心跳慢下來了，非常好。有陣子我還擔心妳會心臟驟停呢。」他說。

「早死的特權之一，我的心臟大概沒機會走下坡吧。」我反諷地說。

他笑了笑，替我的手臂消毒，又抽了一小瓶血。「親愛的，我怎麼也無法預料妳對每項診療的反應。妳真是費解的謎團啊。」

我沒告訴他西西莉一直背著他干擾實驗。每次她來見我，都會拔掉我的點滴。我做完視網膜手術後，她始終陪在我床畔守夜，直到晚餐時間侍從通報林登在找她才離開。她走之前對我低語：「我們得讓妳健健康康的，才能逃離這裡，對吧？」她會趁沒人注意的時候從我手腕抽出針頭。少了點滴，我終於能不受惡夢侵擾地安睡。等到沃恩回來，她才又接回去。

如今沃恩在讀侍從們寫給他的筆記。他面無表情，不過一雙綠眼特別鮮亮，就像專注繪製一幅素描的林登，到了完稿階段，圖畫比他冀盼的更加完美。我的丈夫是個奇才，這點沃恩也很清楚。正因為如此，他才要把兒子矇在鼓裡。

「親生兒子你也解剖了嗎？我是說死掉的那個。」如今沃恩已檢閱過我的瞳孔內部，繁文縟節那一套我也可以省了。幾個月前他跟我提過他有個兒子在林登出生之前夭折；當時我怕得要死，細節不敢多問，可是現在想嚇我已沒那麼容易了。

「解剖這個詞未免太殘酷。」沃恩言簡意賅地說。「不過，沒錯。妳知道我發現了什麼嗎？」他從筆記本前用眼角餘光瞄我。「什麼都沒有，完全沒有任何疏漏的跡象。一顆生氣勃勃的年輕心臟，完美的身體質量指數。他不只游泳，還是個跑步健將，他的腎是我見過最健康的。」

「你就這樣把他剖開，不把他當一回事？」我說。

沃恩闔上筆記本，擱在其中一部嗡嗡作響的儀器上。「假如我沒把他當一回事，也就不用這麼麻煩了，對吧？」他說。「偏偏我太把他當一回事，但無論身為人父還是醫生，我卻辜負了他，所以我該在林登身上表現得更好。」

「你也在他身上做實驗？但沒讓他知道？」我問。

「今晚妳的問題真多。」沃恩說，並向我展露一個高深莫測的微笑。

「妳只要知道這個就好：妳是在幫我救人命，最好別去計較要付出什麼代價。」

沃恩欣喜地告知我，他正在我身上嘗試一種新藥。還說這不會害我做惡夢。他大概希望我懷著一顆感恩的心吧。可是少了夢魘，便徒剩靜默。我再也聽不見蘿絲在排氣管道裡爬，或樓上的腳步聲，或西西莉和林登與他們嘰嘎響的床墊彈簧聲。原本的用藥使我進入瘋狂境界，我的恐懼在陰鬱的薄暮中以其他方式呈現。如今我的眼前只有無菌的病房。窗裡的假百合花。我觸摸床墊冰冷的部位，假如還在克萊兒家，蓋布利歐會睡在我身旁。在那之前，爬上我床的是林登、西西莉，或珍娜。而在那之前，有哥哥和獵槍護我入夢。

我原本以為沃恩灌我這些藥，是為了折磨我，但或許他只是希望那些東西能和我作伴。媽媽曾說：親愛的，妳有一種不同的堅強。但如果她見到此時此刻的我，又會怎麼說？她那筋疲力竭、動彈不得、埋在比墓穴更深的狂人地下室的女兒。少了孿生哥哥，整個人命也只剩半條。

沃恩說我是在幫忙救人命，別去計較要付出什麼代價。他把固體食物講得好像某種奢侈品。雖然嘴上說我優雅，卻拿皮帶把我綁在床墊上。我不是幾天前才在髮絲間感到曼哈頓的徐風吹拂嗎？

也可能是幾星期前了。

還是幾個月前。

也許我認為哥哥還在找我，只是在自欺欺人。他以為我死了。掘出爸媽留給我們的小小珍寶，還放把火把家園燒了。

就算我還活著，也無所謂了。我是土壤裡怎麼也無法生長的根。我深埋其下，活人世界的腳步聲也撼搖不了我。

我凝望天花板好久好久，直到瓷磚上的針孔變得像是天上的星宿。然後我注視西西莉從我前臂拔掉、擱在床墊上的那條點滴管。她在拖延時間。以為只要能使我保持清醒，她就能想到法子助我逃走。她不明白自由有多遙不可及。

過了一會兒，我按照狄德麗教我的技巧從約束衣中掙脫雙手，將那管點滴重新插回原處。

第二十六章

最好別去計較要付出什麼代價。

在這個鬼地方，自由是我唯一要付出的代價。

追蹤器在我腿裡隱隱作痛；只要它還嵌在身上，我就永遠無法自由。我做了好些腿被鋸斷的惡夢，等我最後終於從夢中抽離，自己必須怎麼做我也了然於胸。

從約束衣鬆脫手腕還算容易，但要鬆綁腳踝就沒那麼輕鬆了，因為我的腳腫成正常尺寸的兩倍大。我一根根拔掉針管，步履蹣跚地下床。不曉得這是多久以來我第一次步行，雙腿自然無法順利行走。

我必須爬過冰冷的瓷磚地板，藉著其中一部儀器撐起身子，直到我搆到水壺為止。這是病房裡唯一漂亮的東西，淺藍色、鑽石的質地，使我想起波光瀲灩的泳池池水。

我這輩子都離不開官邸了，永遠找不著哥哥也見不到蓋布利歐，這些我都認了。可是我再也不願當沃恩的實驗品，多一分鐘也不要，再也無法承受無論我走到哪裡都會被他找到的想法。我相信只要能把追蹤器從腿上挖掉，找一個藏身之處就不是問題。有個男人在全像投影中亂砍百合花，大可讓他把我幹掉。不然也可以在走廊上亂晃，最後找個陰暗的角落安靜地死去。走運的話，屍體還能趁沃恩找到之前腐爛，到時候就算他想解剖，我的血肉之軀也已所剩無幾。

我把水壺扔到地上砸個粉碎，然後在碎片中爬行，找一塊夠鋒利的往自己大腿劃下去。我隱約地感到疼痛，聽到尖叫。但我都置之不理，因為當下有更重要的事要做。這個侵入性的玩意兒害我翻不出公公的五指山，所以非將它移除不可。

有人伸手試著阻止我，有人呼叫我的名字。起初我以為蘿絲終於找到排氣管道的出口，總算可以爬向我了；可是後來有手固定我的雙頰，我直視的則是西西莉的一雙褐眼。她的上衣都是血。臉上寫滿激動。「萊茵，別這樣！」她尖叫道。

我所有的夢魘全大吵大嚷地嶄露頭角，形成刺耳的雜音：踩步踐踏百合的男人，在通風口裡爬的姊妹妻亡魂，站在危機前線的西西莉。「妳得上樓去，待在這裡不安全。」我對她說。

「快住手！」她試圖從我握緊的拳中奪走玻璃碎片，然後又試圖用張開的指頭幫我止血；我說她待在這裡不安全，還有必須放血讓追蹤器流出來，但她一個字也聽不進去。

最後她跑走了，我聽見電梯鈴響。

沒過多久她回來了，上氣不接下氣的林登從門口擠過她身邊，說些我聽不懂的話。我知道他只是幻覺，他放棄了我，一如我拋下他那樣拋下我。但他說到底還是奔向我，發出好像吶喊著我名字的聲音。

西西莉在門口徘徊，一圈亮到不能再亮的光將她籠罩。她懷裡摟著一袋盤繞的蛇，那袋蛇發出嬰兒的哭聲。哭聲嘹亮，沖刷其他的一切。

「把鮑文帶走。」林登說，他的嗓音太過平靜。「他不需要看到這個。」他把什麼白白的東西裹在我腿上，而哭聲和鮮血使它由白轉紅。

「對。」另一人說。那是沃恩，他要來取我小命了。「親愛的，有點常識好嗎？再怎麼說，妳都是他的媽媽欸。」

「林登。」西西莉的叫聲蓋過號啕大哭的蛇，她的嗓音刺耳。「想想辦法……她會流血過多而死掉的！」蛇群滑出袋子，纏著她的脖子，鑽進她衣服底下。有個字眼不停迴盪著：死，死，死。

「你對她做了什麼？」林登問他的父親。我闔上眼，這樣就不必看見他的變化。皮肉從他的頭骨上融化，他那綠過頭的雙眸爆出眼窩。「她在這裡待多久了？為什麼沒人告訴我？」他質問道。

「我正在測試一種實驗性的藥物，它能增強免疫系統，其實就像維他命C，只是會引發一點輕微的幻覺。」太近了，沃恩的嗓音離我太近了。無論我走到哪裡，他總是步步逼近。他可以靠植入我腿中的追蹤器尋找我的下落，也能像釣魚上鉤似地引我進他實驗室。

「她一定是想辦法掙脫約束衣了。」沃恩一面思量一面說，話語拖得好長。

「約束衣？」林登氣急敗壞地說，我從沒聽過他的口吻這樣刻薄。音量大得好似打雷一般隆隆作響，我一度以為官邸終於要如我先前詛咒的那樣坍塌了。但接著林登只是拂去我臉上的髮絲，他的碰觸好輕好柔。「妳怎麼了？」他輕聲問我。

我感覺西西莉在踱步，她的嗓音尖銳驚恐。她對沃恩說：「你說好不會傷害她的！你說好她不會有事的！」

「妳都知情？」林登對她咆哮。我即使閉着眼，眼前仍轉為憤怒的澄色。

西西莉開始歇斯底里，只能支支吾吾地說：「我……我……」

沃恩嘖嘖彈舌。「你們兩個都反應過度了，打點輕微的鎮靜劑，她就會沒事了。」

「你閉嘴！」我想這麼喝斥，無奈沒法將聲音變為話語。我甚至無法尖叫，舌頭已經變木了，只能發出低沉的、駭人的呻吟。

「爸爸，你無權這麼做。」林登頂撞他。「她不是你的白老鼠，只要在這個家，她就還是我的妻子！」我感覺身子被他的雙臂摟起。

「好了，兒子，你要講道理啊。」

「送她去醫院！」他的嗓音透露傷痛。

「醫院不會知道怎麼照顧她的。兒子，把她放回床上，我們馬上就能把她醫好了。到時候，等你冷靜下來，我可以跟你解釋這個藥對她有什麼幫助，對我們大家有什麼幫助。」沃恩說。

林登抽抽答答地哭了，求我睜開眼。

「不要光杵在那裡跟兩個傻瓜一樣；都聽到我丈夫說的話啦。」西西莉的嗓門蓋過嬰兒的尖叫聲。「快去備車！馬上！快去！」如下雨般砰然踏地的腳步聲作為回應，侍從咕噥著「是的，西西莉小姐」和「這就去」以及「西側門……馬上好」。

「哦，老天哪，林登。她還有呼吸嗎？」

「西西莉，看在老天的份上，把這哭鬧的孩子帶走，」沃恩說。我昏迷前最後聽見的就是他的聲音。我感覺他薄如紙的手碰我額頭，這可教人受不了。我的四肢支撐不住了，思緒也隨之瓦解。

微風輕拂我的頭髮。我深吸一口氣，聞到佛羅里達海岸線的空氣。烘烤的、油炸的味道交雜著海水與剛澆灌的混凝土氣息。沒有任何幻覺可以複製它，真實世界在我的四周疾馳。

「妳不會有事的，再過兩條街就到醫院了。」林登說。

「不要讓他跟上來。」我輕聲說。我的嗓音氣若游絲，但是至少說得出話了。我睜開眼，從禮車搖下的玻璃窗看這座城市。我以為再也見不到外在世界了。真想向它伸手，偏偏胳臂動不了。我知道城市風光稍縱即逝，所以試圖將目光對準記憶的某個片段，好將它帶著走，無奈月亮總是不安分。它不是溜到房屋後頭，就是卡在樹裡。

林登摟著我，我的血弄髒他嬌貴的臉頰，在他深色的鬈髮上結塊。他拂去我臉龐的髮絲。我雖然好久都沒有這麼貼近他，卻怎麼也忘不了他的脆弱，他的皮膚宛若將一盞暖燈套住的紙燈籠。他說：「沒人在跟蹤妳。」

「有。」我堅持己見，可是他不信。他那惹人憐的目光透露「我瘋了」的想法，或許我真的瘋了。於是我說了我堅信唯一能保我平安的那句話。「不要離開我。」

他把我的頭壓在他胸前，那裡我能聽見血液在他的身體裡汩汩流動。「不會的，我發誓。」他說。

停車時，我腿部周圍的床單已浸紅。我被抱起、往前推、滾遠。我努力不被淹沒，但周遭的世界正變得朦朧。我可以感覺鮮血從皮膚溢出，我的理解力、說話能力，和專注力也連帶消逝。我變得不像人——野蠻而原始。我抵抗那些新面孔和試圖壓住我的新手，但抵抗只是使他們更用力。他們怒氣沖天地對我咆哮，問題是罵些什麼我都聽不懂。我無法理解他們說的話，只能辨別林登的嗓音，他在千哩之外說：「她不知道這是怎麼回事。不是有意要抵抗你們的。」

我被擱在金屬台上，在強光下扭動身體。我的腿好像再也動不了了，不過手還能揮拳，只是沒看見拳頭落在誰身上。沃恩來了，他們都不懂。我試著解釋腿裡植入了追蹤器，無奈一開口只發出尖叫和胡言亂語。林登說：「噓，沒事了。妳到醫院了。他們會幫妳的。」這些話無法帶給我慰藉；這一區的醫院全是沃恩開的。

林登在半空中接住我的拳頭，將它握著，再撫摸我的胳臂。所有的暴戾之氣全都離我而去。我是啜泣的爛泥，連眼睛都睜不開。不知是什麼面罩蓋住了我的口鼻；我原以為那是用來悶死我的，沒想到它是讓我更難保持清醒。

林登不知道他爸令人發狂的藥有多厲害。不知道這座陰森逼近的幽暗深谷正在等我。死亡從未像此刻這麼篤定，這麼靠近。以往它只是個遙遠的現實；蓋布利歐說得對，我不喜歡思考死亡。可是現在躲不了了。它就在眼前。把我往下拽。

黑暗將我吞噬的下一秒，這句話抵達唇邊：

我不想死。

第二十七章

雨聲、往來的車聲和雷聲。

我睜開眼，迎接我的是節奏穩定的嗶嗶響，我這才發現前臂又插了管線。不過這回我沒待在地下室。我很肯定窗子不是全像投影。

林登沒有注視我，他那迷濛的雙眼盯著高高掛在我床腳附近牆上的電視。他線條柔和的鵝蛋下巴布滿鬍渣；他的臉色慘白。我不曉得自己在床上躺了多久，但他大概一直沒有闔眼。

他看都沒看我就說：「知不知道這是哪裡？」

「你爸開的其中一家醫院。」我臆測道。

「現在幾月？知不知道現在幾月？」他疲憊地問。

「不知道。」

他望著我，我一直等他的臉變成什麼妖魔鬼怪，可是它維持原狀。只有枯萎的倦容和冷淡的目光。

「他們以為妳瘋了，妳叫成那個樣子，說的那些話。妳現在還覺得天花板的瓷磚裡有屍體嗎？」他說。

「我說過這種話？」我問他。

「還不只這個呢。」

我望向天花板瓷磚，白白的，很正常。我等著聽蘿絲在排氣管道裡爬的聲音，但是一切悄然無聲。「不會了。」我說。

「妳還說了別的，妳說腿裡有東西要挖出來。」林登對我說。

「追蹤器。」我說。起碼我知道這是事實。不是嗎？我仍在試著理解剛獲得的清醒狀態。我已習慣那個凡事都會變成夢魘的世界，所以還在期待林登的皮肉從頭骨上滴落。我拚命眨眼，他見了皺起眉頭。「你爸將追蹤器植入我的腿裡，所以只要我逃跑，他就知道該上哪裡找我。」

林登點點頭，看著自己的大腿。「妳說過。」我看不出他究竟是氣我還是難過，他的表情高深莫測。不過他臉上尋常的溫柔已不復見，我知道無論他現在作何感受，總之不滿意我就是了。他盲目的愛慕也已消逝。我逃跑那一夜風雲變色。我甚至不曉得他為什麼會待在這裡，只深怕說什麼觸怒了他，害他調頭就走。

「原本我還以為妳是精神錯亂才會說那些話，妳……燒得很厲害。我很肯定那些只是妳的幻想……」他話愈說愈小聲。

「我不曉得那些瘋言瘋語有幾成是真的，但那件事我篤定假不了。」我坦承。

「院方找到了。」他說，並望著自己的手指在大腿描繪形狀。他身上穿著睡衣，我往回憶裡探尋，想起當時他站在地下室的門口，正是穿著這套睡衣。西西莉也身穿睡袍。我那砸碎水壺的血淋淋爆發，肯定驚動了睡夢中的每個人。「豌豆般大小，我從沒見過那種玩意兒。」

「你爸就是靠它才一路追我追到曼哈頓。」我說。

林登揚起目光看我，那是他父親更明亮、更和藹版的眼眸。

「所以妳就是逃到那裡。」他別過目光說。頓了久久，他才問我：「為什麼？」

「那是我家。」我說。或者曾經是我家。如今在那棟焦黑的屋裡已沒有什麼留給我了。

林登起身，踱步至窗畔凝視豪雨。我只能從玻璃窗辨認他的倒影，也知道他正在注視我的倒影。或許因為他沒辦法直視我吧。我不怪他。遭到我的背叛，他應該恨我才是；看得出來他還在天人交戰，因為憎恨從來不是他的天性。我剛嫁給他的時候，還以為他肯定是我見過最冷血無情、胸懷憤恨的男人，沒想到他跟我一樣只是囚徒。只不過沃恩拿高牆關押我，卻利用無知來禁錮親生兒子。

「林登……」

他抬起頭。

我張嘴想說些什麼，卻一個字也出不了口。我勉強著要坐直身子，他只是轉身冷眼旁觀，沒過來攙扶，也沒柔情地說些鼓勵的話。我曾把他的愛視為理所當然，但如今都已成過往雲煙。過去愛意滋長的地方現在一片荒蕪。是我誤會林登了，他沒有拋棄我；他怎麼也不會把我交給他的父親當白老鼠。但那是因為他善良又有同情心，完全不是因為他對我留有一絲愛意。

「妳該多休息，還沒百分之百康復。」他說。

我設法靠著床頭板，把自己撐起。視覺開始對摺，於是我將視線在電視機螢幕上聚焦，這才稍微好點。移動的明亮影像又開始有了意義。音量很小，但看得出來新聞正在播報可能又有颶風要來了。

「我不能待在這裡。我要回家。」

「我爸不會來抓妳的，我不會讓他動妳的，好嗎？妳需要休息。」林登的口吻帶有一絲不耐。

「你不懂。他們都很想我，會以為我死了。」

「哦，沒錯，那個侍從。」林登說。

在這一瞬間，我發現這暫時的恭謙有禮轉為醜惡。林登有權不高興，但我也一樣。他不該被人拋棄，但我也從沒要求要當他的新娘。

「哦，沒錯，那個侍從，但還有別人。」我模仿他的口吻。

「妳打算怎麼做？沿著東岸一路往北走？」他往我身旁的椅子一坐。

「少沾沾自喜了，林登，你不曉得我有什麼能耐。」我說。

他嚴肅地乾笑幾聲，端詳地板。「妳說得沒錯。」他很難受，也不知該拿自己怎麼辦。

我望著他胡亂把弄夾在大腿間的手，努力適應沃恩這原本他不知道的另一面，還有我的這種新面貌。這些對他來說肯定很難堪。

「妳到底知不知道失去所愛的人是什麼滋味？」他問我。

「我失去了我所愛的每一個人。」我對他說。我等他把目光轉向我，然後補了一句：「就在我遇見你的那一天。」

話一高聲說出口我就後悔莫及。林登在座椅上挪移身子，迴避我的目光，再也沒多問什麼。

等我再次醒來，只見林登在我床畔的椅子上睡覺。有本攤開的筆記簿擱在他大腿上，從我躺著的地方只能瞧見他剛開始草擬的建築物輪廓。除了路線圖和電話線之外，他畫的音符也從窗口流瀉而出。

不曉得他在這裡待多久了。又為什麼要留下來。

我的腦袋一片乾旱，這次我也懶得坐直身子了。我躺在醫院病床上盯著無聲的電視。新聞報導的主題是嬰兒，下的標題是：**醫生認爲他已成功複製病毒症狀。**

我這才從恍惚中清醒。這則是關於沃恩的報導。擁有青春臉龐、雀躍表情，和一頭飄逸金髮的新聞播報員無法想像醫生採取了什麼極端的手段，又對新娘、貼身佣人和嬰孩下了什麼毒手。我第一次在這家醫院醒來時，這些事全都移至潛意識；我隱約覺得有什麼事不對勁，可是太驚慌失措，太忙著分辨真偽，導致窮於應付。

「西西莉。」我脫口而出。

聽見我的聲音，林登皺了一下眉。

「林登，你醒醒。」

他猛抽一口氣，立刻警醒。「什麼？怎麼了？」

我掙扎著要起身，這回他過來幫忙了，撐起我背後的枕頭。

只要是還記得的，我全一股腦兒地向他傾吐，沒停下來區分我認知裡真實和虛構的情節。變得蒼老虛弱的狄德麗，是沃恩冒險中的受害者；死去的莉迪雅；在排氣管道裡爬的蘿絲；偷溜進地下室看我的西西莉，和她充滿尖叫的惡夢。等我將一切話說從頭，醫療儀器上的脈搏也開始飆高，於是林登叫我深呼吸，然後把我當瘋子似地看我。

「西西莉可以跟你作證，她當時在場。我確定她在場。她說不定知道的比我還多。」我不敢停下來。

「對，她是該告訴我的，可是她一直拖到事情快要無法收拾才說。等時候到了我再跟她攤牌，不過現在妳要冷靜下來，否則又要生病了。」林登說。

我直搖頭。「不能等了。你得把西西莉從那棟屋子弄出來，不能讓她跟你爸獨處。」我懇求道。

林登不急不徐、不慌不忙地跟我說話。他試著安撫我。「我不會幫我爸的行為辯駁，他差點把妳給害死。妳回來了，他也沒跟我說，八成知道我不會贊成他在違背別人意志的情況下做實驗。」原來如此。西西莉騙我。她從來沒告訴林登我在地下室。雖然我早料到沃恩詭計多端，卻還是把這位姊妹妻想得太美好。這肯定不是她第一次撒謊，同時也證明沃恩還是抓著她的什麼弱點，沒讓她這條魚脫鉤。

林登繼續往下說：「他事情做得太過火了，有時候沒發現這些診療有多危險。假如他跟我提，我絕對不會同意……」

「林登，你爸沒跟你說的事還多著咧。」我挫折地雙手合十，林登張嘴想說話，卻停下來看我的婚戒。「那棟屋子裡沒人是安全的！」

「妳又在胡言亂語了。」他說。

「你爸是禽獸。」我破口大罵，林登聽了臉部不禁抽搐。他起身往後退。

「我去叫醫生，妳開始歇斯底里了。」他走去開門，沿途驚懼的雙眼死盯著我，彷彿我會攻擊他似的。他從沒見我動怒過、發飆過。從前我凡事都往肚裡吞，好博取他的信任。但現在我豁出去了，幾個多月來的沉默在一瞬間爆發。

「他害死了珍娜，也差點害死我。你覺得西西莉會安全嗎？他還把蘿絲的屍體存放在地下室。我親眼看到了！骨灰的事是他編的……」我哭著吶喊道。

「夠了！」林登對我咆哮，他這樣大發雷霆把我嚇得只好閉嘴。「不准，不准把蘿絲扯進來。永遠都不准。妳根本不了解她。也不了解我爸，有什麼資格對我說這些話？」

他在發抖，我也抖個不停，只見他淚如泉湧。他看我的眼神盈滿怒意和心碎，我為接下來說的話痛恨自己。「林登，他害死了你的小孩。」

林登馬上臉色大變，刷白了臉，他的表情變得警戒又疏離。他哽咽地說：「不可能，鮑文健康得很。」

「不是鮑文，是你另一個小孩，你的女兒。」我說。

狄德麗，算我對不起妳，這是妳的祕密，我還發誓會守口如瓶。但或許公諸於世才是唯一能救我們所有人的辦法。

「我知道蘿絲懷過寶寶。」在某種駭人動力的驅策下，我繼續往下說。林登的面孔不斷擺出各種驚愕和痛苦的表情。「寶寶死了。你爸說她夭折，將她奪走。可是她明明有哭聲。生下來的時候還活著。」

林登呼吸困難地說：「是蘿絲跟妳說的嗎？當時她痛苦到失心瘋，無法接受事實。」

「這件事蘿絲從沒跟我提過一個字，我發誓，直到她死後我才聽說的。」

林登在屋裡踱來踱去，呼吸急促，雙拳不時握緊又放鬆。我從沒見過他這個樣子。

「林登，你行行好，我知道你有不相信我的千萬個理由，但我說的是事實。你爸是名危險人物。」我輕聲說。

「為什麼？」他問我。

「只是因為你的女兒天生畸形，你爸就把她殺了。」我說。

「不。我是問，妳為什麼要跟我說這些？我……」他直搖頭，對我心生嫌惡。「妳為什麼這麼……」他咬牙切齒，無法鼓起勇氣看我。他接著說的話聲音微弱：「這麼惡毒，妳很惡毒。」

他踱步走向我的病床，我伸手要摸他，但又改變主意，把手縮回。

他喘著氣說：「從妳嘴裡說的每一句話，都是謊言，對吧？」

我輕聲說：「不對，也有實話。」

「那妳的名字呢？妳真的叫萊茵嗎？」

我知道他懷疑我，是我咎由自取；事到如今還是看得出來他在掙扎，在抵抗一年來促使他相信我的那些直覺。「對。」我說

「我要怎麼相信妳？」他說。「妳怎麼能期待我相信妳？只要跟妳有關，事情是真是假我就無從得知。」

「林登，我名叫萊茵。」接著我慎重地補了句：「姓艾勒里，被迫嫁進你家。從結婚那天起我就一心想要逃跑，這樣才能回家；珍娜試圖幫我圓夢，你爸也在害死她的時候得知這項消息；他害死你的女兒，卻騙你說嬰兒夭折；西西莉跟他獨處的話會有危險。我是跟你實

話實說。」

我的嗓音沉著理智，林登屏息聆聽。他凝視著我，兩眼頓時變得朦朧黯淡。他臉色蒼白、形容枯槁。還有他嘴巴扭曲的樣子——活像想要啜泣或對我破口大罵似的——使我身子渴望地發疼。這是我倆同床共枕的舊有本能，多少個夜晚我們為了各自失去的所愛悲愴。我好想抱他，卻沒有勇氣這麼做。

我的前夫又是抓頭髮又是深呼吸，過了好一會兒才帶著我捎來的噩耗轉身離去。

「難道你不關心西西莉嗎？換作是蘿絲，你早回去了吧。」

話一出口我便擔心他會勃然大怒。可是他表情冷淡，口氣實事求是。「我愛西西莉。」林登說：「信不信隨妳。我對她的愛，跟對蘿絲或對妳的愛不同。不過那又怎樣？我對每位妻子的愛各有不同。」

「不包括珍娜。」我替他修正。

「別以為妳了解我跟珍娜的關係，她的事，我跟她的事，有些妳並不清楚。」他說。

沒錯。珍娜守了許多祕密，懂得怎麼閃躲問題，即使胸懷憤恨也能面帶微笑。儘管永遠無法得知她真實的全貌，我卻百分之百相信她跟林登之間沒有什麼。她從來無法真正原諒他挑中她，讓她獨活，她的姊妹卻淪為槍下亡魂。

「我們之間有一種共識。」林登往下說。或許因為他知道我還沒淡忘失去大姊妹妻的傷痛，才把語調轉柔。

我保持語氣慎重，挺直腰桿。「什麼意思？」

「我親眼目睹蘿絲過世。原本她還朝氣十足，後來有天早晨她皮膚出現瘀青，幾乎無法呼吸。我碰她的話，她會大叫。」

「什麼……」我嗓音變啞。「那跟珍娜有什麼關係？」

「珍娜知道自己來日無多，她覺得她等不到解藥問世的那一天。其實我在內心深處也有同感，畢竟經歷過天人永隔。於是，我們達成一種共識：在一起的時候，什麼都別感覺，什麼都別去想。在某種程度上，這也幫助我們擺脫孤獨好一陣子。」

這正是珍娜最在行的，對吧？為男人排遣寂寞，要她作伴多久都行，只要付錢就好。成千上萬的女孩都是這樣；我見過她們湧出姨娘的帳篷，臉上的妝像是漆沒乾的搪瓷娃娃。我聽過男人來來去去，銅板扔進玻璃罐的叮噹響。但是珍娜獨一無二，狂野但善良，美豔又蠱惑人心。林登認識的那個女孩跟我心目中的不同。我仍能察覺少了她的空虛，感覺就像她依舊存在那般強烈。我仍能夢見她的形體在日光穿透的彩雲間。

我清清喉嚨，望著大腿。「既然你這麼了解她，就該知道她會同意我的看法。你不該讓口口聲聲說愛得多深的新娘跟你爸獨處。」

「是，這個嘛，她總是愛冷嘲熱諷。」林登邊說邊走向門口。「妳需要休息了，晚點我再來看妳。」

雖然他沒甩門而去，卻莫名留給我這種印象。

我內疚苦惱，往枕頭上重重一倒。婚後的這幾個月，我一直故作神祕，不肯讓林登了解。我撒謊，我耍心機。蘿絲死了一年，他還是難以鼓起勇氣喊她的名字，更別提聽見她的屍首淪為父親實驗的一部分。蘿絲生的獨生女被沃恩害死這件事，我絕對不是有意告訴他的。要不是沃恩，那個孩子還在人世，雖然畸形但至少活著。

沒錯，林登沒有理由相信我。我曾在他的眼眸看見信任，但如今他連一眼都不願看我。不過，這也無法改變狄德麗和天曉得還有多少受困地下室的人正在垂死，或已經斷氣的事實。至於勉強裝成熟的西西莉則不曉得她身陷何等險境，這些事令林登震驚不已，但說老實話，他怎麼可能無動於衷？我回想自己初聞蘿絲寶寶的消息，有多驚愕作嘔。我也想用更有憐憫心的方式告知林登，可是這種事就是得不假思索地脫口而出。

胳臂的管線密密麻麻，我只能躺在床上哪裡也去不了，除了等待啥也做不了。就算我能起床找林登好了，他也沒心情聽我說話。就算他不為我逃跑的事恨我，也肯定會為我的直言不諱恨我。但至少我能確定無論他有多恨我，都不會允許他的父親接近我。他會回來的，不然也會叫醫生過來放我走。

電視螢幕的影像無聲地轉換著。陰鬱的小路，坑坑疤疤、不成樣的房屋。近來發生的爆炸案使空氣滿是塵埃。語調歡快的記者往後退，對著麥克風喋喋不休。我認得她是全國性的新聞特派員；她負責的新聞會在各州播報。電視台下的標題是：擁戴自然主義的反叛者不認同醫生研究解藥的努力。

這位儀容整潔的淑女實在不適合待在這麼醜惡的地方。她的絲襪抽絲了，紅色高跟鞋也開始被爛泥弄髒。記者彎下腰，她把麥克風伸向坐在人行道的一群年輕男女；他們看來骯髒疲累但是渴望發言。

其中一位接過她手上的麥克風，義憤填膺地發表意見，她嚇得整個人往後仰。鏡頭鎖定他，只見他亂髮纏結、臉頰留有血漬，不過雙眸明亮熱切。若不是那雙眼，我還真認不得他。因為那雙眼跟我的如出一轍。我開口想說話，卻只發出驚叫。我摀住嘴，等喜悅、恐懼與震驚得以控制才再試一次。

「羅恩。」

LOCUS

LOCUS

一個孤兒在盲琴師帶引下，擁有一把舊吉他。只要有琴弦變藍，就有人的生命產生奇異的變化。
生命的意義和音樂相同：奧祕不在於讓音量變大，而是讓這個世界變得更安靜。

米奇・艾爾邦 Mitch Albom

吳品儒 譯

六根藍色魔弦

The Magic Strings of Frankie Presto

LOCUS

LOCUS